ビジネスと人生に役立つ!

教養としての歴史学入門

加来耕三
Kouzou Kaku

ビジネス社

はじめに――歴史に学ぶ前に考えること――

未来が読めた時代はない

本書の執筆は、次の言葉に触発されたことにはじまる。

「おれはいつもつらつら思うのだ。およそ世の中に歴史というものほどむずかしいことはない。元来、人間の知恵は未来のことまで見透かすことができないから、過去のことを書いた歴史というものにかんがみて、将来を推測しようというのだが、しかるところ、この肝心の歴史が容易に信用せられないとは、実に困ったしだいではないか」

（勝部眞長編『氷川清話』）

これは幕末期、底知れぬ智謀と大局観で、幕臣としての立場を超越し、しかも、時流のわきに佇みながら、何人もうかがい得なかった時勢のうねり方や方向を見定め、明治維新の大業を成し遂げた――日本史上、稀有の人物ともいうべき、勝海舟の言葉であった。

――今年は、彼の生誕二百年を迎える。

過去の事例を調査・研究し、現在と比較検討して原理原則を求め、未来を展望しようとする試みは、洋の東西を問わずに古代より現代まで、それこそ無数の先学によって種々、試みられてきた。

歴史学も哲学も、そしてその分派ともいうべき歴史哲学、歴史心理学、あるいは法制史・経済史・科学史などは、その成果であったといってよい。

しかし、「歴史に学ぶ」努力は、必ずしも未来を予測するという成果には繋(つな)がらなかった。歴史に学ぶことの意義は、それなりに理解されていても、それが将来への指針にまで高められたことは、残念ながら過去において、ほとんどなかったといえる。

なぜならば、現代に対比すべき過去が、前述の海舟の言葉ではないが、「容易に信用できない」ものであったからだ。通史には誤解や思い込みも多く、冷静に、客観的に、述べられた〝真実〟がきわめて少なかった。物語先行の創(つく)られた心象(イメージ)や虚構からは、そもそも教訓は汲(く)みとれないものだ。

いったい、未来は予測できるものなのか――と問われれば、完全には無理というものであろう、と筆者(わたし)は言わざるを得ない。

これまで歴史学は、「実証科学」だと言われてきた。だが、「自然科学」と同じ意味合いのもとで、〝歴史〟は実証的かというと、そうではない。自然現象は反覆(はんぷく)するが、歴史は発展することはあっても、同じ水準(レベル)でくり返されることはあり得ないからである。

不気味なアップダウン説が教えること

たとえば、筆者が学んだ歴史学に、近現代の日本を四十年周期で捉(とら)え、そのアップダウンで説くものがあった。

明治維新は慶応(けいおう)四年（一八六八）をいい、この年の九月に「明治」と改元したが、京都の朝廷が日本の「開国」を正式に承認したのは、三年前の慶応元年の時点であった。

欧米列強に遅れた東洋の一弱小国＝〝鎖国日本〟が、先進国の植民地化政策を逃れて、独立国としての尊厳を守るべく、懸命に努力した「上り坂(のぼりざか)」——そのジャスト（かっきり）四十年後が、明治三十八年（一九〇五）、日露戦争に日本が勝利した年となる。

このときの日本の勝利（実質は引きわけ）は、世界中に大きな衝撃を与えた。

とりわけ白人こそ優性種族で、アジアやアフリカの民族は、元来、劣性と思い込まされていた〝常識〟が吹き飛び、アメリカでは憐(あわれ)みと侮蔑をもってみられていた日系移民や中国系、さらには黒人に対する眼差(まなざ)しが、一気に警戒の色を濃くしたほどである。

日露戦争に刺激されて、黒人が暴動を起こすのではないか、とアメリカ合衆国政府が真剣に懸念した記録が残っている。

さて、上りつめた明治日本は、これからどうするのか――世界中の人々が固唾を呑んで注目する中で、日本人は全体として「勝った勝った」と浮かれ、はしゃぎ、有頂天となって、自分たちは欧米列強の仲間入りを果たした、大国と成った、と自惚れ、のぼせて〝まさかの坂〟を踏みはずし、アジアへの覇権をめざして突き進んでしまう。中国大陸で戦争をはじめたかと思うと、昭和十六年（一八四一）十二月一日の御前会議では、対米英蘭開戦を決定。十二月八日には、アメリカのハワイ真珠湾を空襲。同時にマレー半島へ上陸して、日本は対米英に宣戦を布告し、太平洋戦争に突入した。

結果、同盟国であったイタリア・ドイツの降参する中、世界中を敵にまわす愚かな、絶望的な戦いを展開して、幕末・明治と父祖が一生懸命に築いてきたすべてを失い、亡国の一歩手前までわが国を引きずり込んでしまった。

――「下り坂」の降下墜落の四十年が、ピッタリ昭和二十年となる。

この年の八月十五日、日本は敗戦（終戦）を迎えた。日本はすべてを失った焼け跡から、再び〝独立国としての尊厳〟を取り戻すべく、懸命の努力を重ねて、祖国復興に邁進した。高度経済成長期と呼ばれる一時代を築き、ＧＮＰ（国民総生産）世界第二の経済大国として、奇跡的な再起・再興を成し遂げる。

『ジャパン・アズ・ナンバーワン』という書名の本が出たのが昭和五十四年（一九七九）。

その「上り坂」四十年の頂点が、昭和六十年にあたった。

この年の九月に、プラザ合意が成立している。

歴史に学ばない日本人

今からふり返れば、この「上り坂」の頂点で、日本はかつての日露戦争後の失敗を思い出し、反省して、今度こそ真摯（まじめで、ひたむき）に、わが国の向かうべき未来の方向を見定め、長期の構想をもって舵を切るべきであった。

ところが日本は、日露戦争後と同様に慢心（おごり高ぶり）し、〝バブルの宴〟をうたい、狂惑（狂いまどい）、またしても暴走してしまう。

平成元年（一九八九）十二月二十八日には、東京証券取引所において、日経平均株価が史上最高値をつけた。この日の終値は、三万八千九百五円八十七銭（取引時間中の最高値は、三万八千九百五十七円四十四銭）であった。

「来年は五万円、数年で十万円までいける――」

などという、根拠のない強気な見通しが、このとき、日本の市場を覆っていた。

が、アジア・太平洋戦争と同様、年明けからは相場が一気に崩れた。

歴史の上昇・下降(げこう)は、風雲に乗る龍のシッポに似ている。頭が下を向いているときでも、シッポはまだ上を目指しているのだ。見誤ってはいけない。もうすでに、「下り坂」だったのだ。

――日本人は、どこまでも歴史に学ばない。

ふたたびはしゃいでのぼせ、〝まさかの坂〟＝バブルに突っ込んだあげく「下り坂」へ急降下する。

もし、この四十年周期説が正しいものであるならば、この墜落現象は令和七年（二〇二五）までつづくことになる。問題はアップダウンが仮に正しいとして、日本は三度(みたび)、「上り坂」を迎えることができるのかどうか、である。

歴史に法則性を求めること自体を、筆者はあながち無意味なこととは思っていない。なぜならば、冷静に立ち止まって、現実を見る起因となるからだ。

「平成」に入ったおり、世界の企業ベスト五十にわが国は三十二社が入っていた。ところが今、辛うじてトヨタ一社が残るのみ（令和五年一月現在、時価総額で世界四十七位）。令和三年の世界経済に占める国別ＧＤＰシェアは、アメリカが二十四・四パーセント、中国が十七・九パーセントに対して、日本は五・四パーセントでしかない。

それでも未来は、過去に語られている！

ＡＩ（人工知能）やロボット化などの技術革新（イノベーション）が、国境（ボーダー）を越えて展開し、経済や社会がこれまで以上に大きく変化しようとする中で、日本は少子高齢化に労働力の枯渇、国際競争力の低下を抱え、どうしていいのかわからないまま途方に暮れ、将来への展望が皆目、見出（みいだ）せないでいる。

「実に困ったしだいではないか」

と、海舟が溜め息を吐（つ）いたのも頷（うなず）けよう。

そこへ、新型コロナウイルスの発生、世界的な流行が追撃した。

おそらく多くの日本人は、どうしていいのかわからないまま、茫然自失（ぼうぜんじしつ）の体（てい）となっているに違いない。

筆者はこのままでは、次の「上り坂」はやって来ないかもしれない、と懸念している。

――けれども、ふたたび上り坂を上がる方法はある。

まずは、くり返される歴史の原点に立ち返ることだ。

歴史の興亡は例外なく、人の一生のいとなみと同じ道筋（プロセス）をたどるものである。人は生まれ、育ち、気力・体力の充実した壮年期の頂きを迎え、やがて下降して衰亡していく。

不死の人はいない。この構造（メカニズム）は国家であれ、時代であれ、組織であっても個人でも、変わることはない。換言すれば、これまでに読者諸氏が遭遇した出来事、これから出会うであろう未知の事件にも、同じような経過をたどった過去の、同様の事例が必ずあった、ということになる。

「歴史は繰り返す。方則は不変である。それゆえに過去の記録はまた将来の予言となる」

（物理学者・寺田寅彦著『科学と文学』）

歴史に名を留めた人々の生涯を追うとき、これほど納得のいく言葉を筆者は知らない。

そういえば、孔子が弟子たちとくり広げた問答集『論語』にも、

「故きを温ねて新しきを知る、以て師と為るべし」（爲政）

というのがあった。

何事でも過去をたどり、学んで消化して、それから未来に対する新しい思考、方法を見つけるべきだ、と孔子は「温故知新」を説いた。

現在は、過去なくしては存在しない。しかし、過去にとらわれているだけでは、新しい世界を展望する（広く見渡す）ことはできない。

だからといって、過去を無視して、ただ新しいことばかりに目を向けても、また失敗を招くものとなる。前述の四十年周期のアップダウン説然り。

歴史に学ぶ意義

筆者はこれまで、何か一冊、未来(これから)を考えるうえでの、参考になる書物を推薦してほしい、といわれたときは、いつも『論語』を挙げてきた。

人々が抱く、すべての悩みを解く鍵が、この本の冒頭には述べられているからだ。

「子曰(しいわ)く、学びて時に之(こ)れを習う、亦(ま)た説(よろこ)ばしからずや」(學而(がくじ))

ここでいう「子」とは、先生の意味。『論語』では、孔子を指している。

意味は明瞭(めいりょう)(明らか)であった。学問をして、その学んだことを機会(人生に遭遇する、さまざまな決断を迫られるとき)に復習し、考えたなら、その学んだものが真にわが身につく。失敗することはない。なんと、喜ばしいことではあるまいか、となる。

中国古典の第一人者・諸橋轍次(もろはしてつじ)は、次のように解説していた。

「一度学べば、それでわかったような気がする。しかし、実際には、よくわかっていないものである。ところが、学んだことを折りにふれて復習・練習してみると真の意味がわかってくる。体得するわけである。その体得のよろこびこそ、学ぶことの、まことのよろこびなのだ」(『中国古典名言事典』)

——右の文章には、歴史を学び未来を読むための、大いなる示唆(ヒント)があった。

本書は筆者の考える歴史学の入門書であり、目次にあるように五章で構成されている。

一つの歴史の見方としてご理解いただき、読者各々の応用を加えていただければ、かならずや歴史学の叡智が身につくはずである。

なお、本書は月刊『歴史研究』の編集委員として、筆者が同誌に平成十七年（二〇〇五）四月号から、平成二十四年三月号まで連載させていただいた「歴史学講座〈初級編〉」と、平成二十四年四月号から、令和四年（二〇二二）五月号まで連載させていただいた「歴史学講座〈中級編〉」のうち、前者の「歴史学講座〈初級編〉」から厳選、再編集、加筆・修正したものであることをおことわりしておきます。

最後になりましたが、この度の刊行の機会を与えて下さったビジネス社の代表取締役・唐津隆氏に、この場を借りてお礼を申し述べるしだいです。

令和五年惜春月　東京・練馬の羽沢にて

加来耕三

第一章 仮説で読み解く日本史

第二章

比較することで現れる本質

第三章

歪(ゆが)められた結果

第四章 歴史はくり返すのか

第五章 歴史を動かしたのは誰か

第一章

仮説で読み解く日本史

ifの日本史

「歴史学には本来、if（もしも）はあり得ない」

と学者たちは口を揃えていう。筆者も大学で、そのように学んだ。

だが、このことにはいま少し注釈が要る。「あり得ない」というのは、たとえば実在した歴史の事実関係を解明する、実証的歴史学（実証史学、実証史観）の原則において、といった程度の、限定された学問の印象でしかない、ということである。

なるほど、実証的歴史学からすれば、if（もしも）は学問を逸脱した遊びと映るかもしれない。

だが、この「あり得ない」の否定は、一面、きわめて歴史を鋭角的に捉える、領域を狭いものにしがちである。読者諸氏は、立ち止まって考えていただきたい。

人はごく普通に何事かを思考するとき、まず「なぜ」そうなったのか、「もしも」そうではなかったら……、と考えるものではあるまいか。

この「もしも」の考え方には、貧弱さの裏返し、広さとスケールの大きさがある。

ただし、どのようなifを設定するかは、十二分の考慮が必要であろう。

空想的ifはこの際、外したい。あくまで歴史の展開における可能性を前提としたものであり、古代↓中世↓近世↓近代↓現代の流れを逆流することは許されないであろうし、それをやってもあまり有効性、得るべきものはないはずだ。

では、いかなるifであれば許されるのか。

歴史の事物には、ほんの些細なことでボタンの掛け違いが生じ、時代の歯車を回してしまったケースが少なくない。

権力者の不慮の死（今日の医学であれば救えたものも含む）、わずかばかりの要因がもたらした勝敗の逆転、突発的な事件による連鎖――ifとして選ぶべきはこれらであろう。

余談ながら、ある高名な大学教授が歴史について述べた本の中で、豊臣秀吉は歴史に学ばず、徳川家康は歴史に学んだとして、「もしも」、秀吉が歴史に学んでいれば、家康を関東に転封させたりはしなかったであろう、と記述していたのを、何処かで読んだ記憶がある。

筆者の思い違いでなければ、この先生の主旨は、関東は中央から独立する気風を歴史的にもっており、「関東独立国の歴史」を秀吉は知らなかったために、家康を関東へ移してしまった、というのだ。

確かに、関東には平将門の乱をはじめ、源頼朝の鎌倉幕府創設、あるいは〝古河公方〟を称した足利成氏の〝享徳の乱〟など、中央から独立を企てた史実は存在した。

だが、関東への家康の移封は、件の先生が書いていたような、

「秀吉の千慮の一失」

というほどの問題であったのだろうか。

なるほど家康は、もの学びの好きな人で、歴史書のみならず多くの古典を復刻、自ら刊行していた。歴史に学んでいたことは、間違いあるまい。

しかし、秀吉は歴史に学んでいなかったかといえば、どうであろう。

筆者はそうは思わない。歴史書を紐解いて講義を受けたかどうかはしらないが、秀吉は〝耳学問〟の天才であった。

「故きを温ねて新しきを知る」（温故知新）は、心得ていてしかるべきであったろう。

現に豊臣政権の組織構造は、室町幕府やその前の鎌倉幕府をも、具体的に参考にしている。五大老・五奉行の制度はその結実といってよい。

秀吉は歴史に学んでいた。では、なぜ家康の天下になったのか。ここで重要なのは、「もしも」の許容範囲であった。

家康は動けなかった

——人間、寿命だけは読めないものだ。

家康が関東へ入封してのち、かりに天下の難所である箱根を越え、西へ進軍したと仮定する。

まず、駿府城主・中村一氏がいた。秀吉子飼いの武将で、近江長浜の城主であった秀吉から二百石を与えられ、泉州岸和田城や近江水口城主を歴任、駿府城主として十四万五千石を領有。一説に、秀吉の死の直前の慶長三年（一五九八）七月には、「中老職」ともなったという。頑固で一徹なだけに、家康を相手に徹底抗戦をしたに違いなかった。

次には、遠州掛川城――ここには山内一豊（かつとよ、とも）が五万石を有して控えていた。秀吉生え抜きの、実戦の将である。

同じく遠州の横須賀城には有馬豊氏（三万石）、浜松城には堀尾吉晴（十二万石）が入っていた。

いずれも戦巧者で、なかでも堀尾吉晴は寡黙な武将ではあったが徳望があり、信長に見出され、秀吉がとくに望んで家臣とし、馬廻りの士として育てただけに、戦も手堅く、世評にのぼる武功だけでも二十二度におよんでいる。

人望があっただけに、戦場での功績だけではなく、多くの面で高く評価されて「豊臣」姓まで貰っていた。

さらに、三河吉田城（現・愛知県豊橋市）には池田輝政が十五万二千石でおさまっていた。三河岡崎城には田中吉政（五万七千四百石）が、そして尾張清洲城には豊臣恩顧の大名の中でも、秀吉が最も頼りとした福島正則が二十四万石で入っていた。池田輝政は、小牧・長久手の戦いで父・恒興と兄の元助を失ったものの、若くして名将の誉れは高かった。

福島正則の母は、秀吉の母・大政所の妹で、その縁で幼少から正則は秀吉に仕えたが、柴田勝家との一大決戦・賤ヶ岳の戦いでは、七本槍の筆頭に挙げられた勇将である。石高は二十四万石であった。

これらの勢力が一丸となり、家康の前進を阻めば、彼らの総石高七十九万四千石余は一大脅威であったろう。

件の大学教授も、次の逸話はご存じであろう（岡谷繁実著『名将言行録』）。

「力づくで、どの辺りまで進めようか――」

あるよもやま話の席上で、家康は本気とも冗談ともつかぬ問いを、徳川の家臣たちに発したことがある。

「美濃関ヶ原（現・岐阜県不破郡関ヶ原町）までは、押し切れましょう。なにぶんにも、東海道筋は勝手知ったる土地。しかもこの方面の大名たちは、働き者は多うございますが、それを束ねる者がおりませぬ」

「いやいや、中村一氏殿はなかなかの名将、それに堀尾帯刀先生（吉晴）も豊家（豊臣家）

きっての功多き老練の者――とても、浜松城は落とせますまい」

幾つかの意見が出た。雑談だけに口も軽い。

ところが一人、本多正信だけは口を開こうとしなかった。

気づいた家康が正信をみやると、正信はさりげなく、それも周囲の者に気どられぬように、無言のまま首を左右に振った。

（箱根も、越えられますまい）

その表情は、そういっていた。

家康も沈黙したままで、うむ、とうなずいたという。

秀吉の対家康包囲網は、前面よりもむしろ後背に仕掛けがあったのである。

――関東の後方には、蒲生氏郷がいた。彼は一人で、家康と伊達政宗、上杉景勝の三人を抑えていたのである。

十四歳で初陣した氏郷は、みごと敵の兜首を挙げて手柄を立て、信長の姫を娶って織田家の人となった。

氏郷の名が一躍、天下に轟いたのは、本能寺の変のおりである。

父・賢秀ともども安土城（現・滋賀県近江八幡市）に残されていた信長の家族を救出し、一方で氏郷は玉砕を覚悟で、明智光秀の誘いを峻厳に拒絶した。

節義なき乱世において、蒲生父子の行動はどこまでも義理堅く、清白で実に清々（すがすが）しい。

秀吉は織田家の部将であった頃から、この氏郷をよく見知っていた。彼の妹を側室に所望し、「三条殿」と名乗らせ、氏郷との結びつきを強めてもいる。

氏郷は秀吉の天下平定戦で、その類稀（たぐいまれ）な軍才をいかんなく発揮。天下の名将と仰（あお）がれるようになった。そして、小牧・長久手の戦いでは、二度にわたる秀吉方の負け戦の、いずれにも氏郷は殿軍（しんがり）を担当していた。

秀吉方の大名の多くが、家康の実戦力（キャリア）を怖れるなかにあって、氏郷だけはおよそ家康を眼中に置いていなかった。

亡き主君信長を超える武将はいない、との思いが強かったからである。

氏郷の勇猛ぶりは、つとに有名であった。

新規に家臣を召し抱えるとき、氏郷はいつも同じ言葉を口にしている。

「その方が戦場に出たなら、わが家中の者で銀の鯰尾（なまずお）の兜をかぶり、奮戦しているのが目につこう。その者に負けぬよう、働くように……」

なるほど、戦場に出るといつも、真っ先を駆けて敵陣におどり込み、群がる敵を寄せつけず、つぎつぎに武功を挙げる銀の鯰尾の兜をかぶった勇者がいた。

よく見ると、その勇者こそが主君の氏郷であったという。

ともあれ、氏郷は率先垂範して働いたが、一面で師である信長もなし得なかった学問を積み、中国の古典にも通じ、和歌などもよくした。〝利休七哲〟の一人でもある。

また、一方では領地を商業都市として活性化させ、繁栄させた手腕も、他の大名たちに抜きん出たものがあった。

小牧・長久手の戦いのあと、江州日野六万石から伊勢松ヶ島城（現・三重県松阪市）十二万石に封ぜられた氏郷は、この地を「松坂」と改名し、綿密な都市計画によって開いた。松坂が江戸時代を通じて、日本有数の商業都市として栄えたのも、もとは氏郷の力によるものであった。

その氏郷が天正十八年（一五九〇）に会津を拝領、四十二万石――一説には天正二十年に七十三万石、文禄三年（一五九四）にはおおよそ九十二万石の大名になった。

おそらく、この頃、日本最強の大名は氏郷であったろう。

しかし、智と勇を兼ね備えていながら、この名将には一つだけないものがあった。寿命である。

氏郷は、文禄四年二月にこの世を去っている。享年は四十であった。

考慮すべきはボタンの掛け違い

もしも、蒲生氏郷にいま少しの寿命があれば、徳川家康は関東を一歩も動けず、その天下取りは不可能であったろう。

立ち止まって、考えていただきたい。豊臣秀吉は、天下人となった人物である。権謀術数も含め、あらゆる〝智〟を動員して、対抗馬となる可能性のある家康の野望を、阻止しようとしたのは当然であって、それを「歴史に学ばなかった」と言われては、秀吉も立つ瀬があるまい。

ifには可能なものと、不可能なものがある。

では、可能なifとはどういうものか。ほんの些細なボタンの掛け違い――権力者・主要人物の不慮の死や合戦における偶発性の高い勝敗の決定などは、一度ひっくり返して、「もしも」そうでなければと、考えでみる価値はあるように思う。

ここからは、少しifの具体例を見てみたい。

もし、桶狭間で信長が敗死していれば？

永禄三年（一五六〇）五月十日、今川義元は上洛して天下に号令する野望を胸に、駿河（現・静岡県中部）・遠江（現・静岡県西部）・三河（現・愛知県東部）の三国から、公称四万五千（実質約二万五千）の大軍を率いて駿府を出陣したといわれている。

そして、目前に立ちはだかる尾張（現・愛知県西部）の織田信長に先鋒を差し向け、国境沿いの織田方の城砦を次々に落とすと、十七日には本陣を池鯉鮒（現・愛知県知立市）にまですすめ、十九日の午前中に桶狭間（現所は諸説あり）に布陣した。

通史では、ここで信長が奇襲戦を敢行し、おりからの雷雨も幸いして、奇跡的に主将義元を討ち取ることに成功する。

では、万一、信長が義元を討ちもらし、義元がわずかな時間をぬって逃避していたとすれば、おそらく状況は、一変したに違いない。両者の兵力は隔絶していた。

信長の奇襲はまさしく、伸るか反るかの一発勝負であった。義元を討ちもらした信長は、清洲城で籠城するしか残された手段はなかっただろう。その場合の結末は、明らかであった。援軍のない信長は、落城とともに自刃して果てたであろう。

義元は六月には尾張を制圧して清洲城に入り、投降した尾張の諸将を加えて、墨俣（現・岐阜県大垣市と伝わる）から安土を経て途中、南近江の六角氏をも圧倒し、七月のはじめには念願の上洛を実現したかもしれない。

今川氏はもともと、足利一族の名門・吉良氏の分家筋であった。

義元を遡る十代前の国氏のとき、三河幡豆郡今川荘（現・愛知県西尾市）に住して今川氏を称している。駿河と遠江の守護に任じられたのは、三代範国のときからであった。

したがって義元は、自らが政権を樹立するのではなく、衰亡した室町幕府を再興する道を選んだであろう。

それだけに旧勢力との妥協も容易であったろうし、留守中の本国にしても、義元は甲斐（現・山梨県）の武田信玄と義兄弟の関係にあり、東の小田原北条氏とも三国同盟を締結しており、中央にあって秩序回復に全力を挙げることはできたはずである。

ときの正親町天皇（第百六代）も、室町十三代将軍・足利義輝にしても、義元を救世主として歓迎したであろう。喜んだ正親町帝や将軍義輝は、義元を正式に天下の「副将軍」に任命したかも知れず、それに感動する義元の姿が目に浮かぶようだ。

畿内は京都を中心にすぐさま平穏を取り戻し、越前（現・福井県北部）の朝倉氏、北近江の浅井氏、中国地方の毛利氏などの戦国大名も、一応は副将軍義元を立てたはずである。

では、この再建版室町政権は成功したかといえば、やはり無理であった、と言わざるを得ない。ここが、ifに学ぶ要所である。

なにぶんにも、新興・本願寺勢力が育っていた。戦国最強のこの武装宗教集団は、すでに体制の枠に嵌まるには大きくなりすぎていたといってよい。

当初は妥協したかもしれないが、この一向一揆のもつ下剋上のエネルギーは結局、室町幕府とは相容れない。

信長なればこそ、この新興宗教集団に徹底殲滅の強靭な精神力でもって戦い得た。が、それを傾危（傾いて危うい）の中央政権に期待することはできない。

おそらく、義元によって再興された室町幕府は、本願寺勢力の怒濤の攻勢に呑み込まれてしまったであろう。

そうなれば日本は、ローマ教皇を戴くカトリックのような、世界に冠たる宗教国家（あるいは広域な本願寺領を抱える国）となったであろう。

このように考えていくと、信長の歴史的存在意義が何処にあったかが、角度を変えて浮かびあがってくる。

もし、信玄が急死しなければ……

信長の難敵・武田信玄は元亀三年（一五七二）四月七日、いよいよ念願の上洛戦を決意すると、武田家の祈願所・加賀美（現・山梨県南アルプス市）の法善寺に必勝祈願文を奉納した。

その後、甲斐武田家の先祖供養と、敵味方の別なく甲信・関東での戦いで亡くなった者の、慰霊法要を約四ヵ月の間、僧侶六百四十二人を動員して実施している。

敬虔な神仏崇拝者であった信玄らしく、後顧の憂いを絶ったうえで、精鋭を三軍団に分け、先発の秋山信友（虎繁）を大将とする一軍には美濃の岩村城（現・岐阜県恵那市）を、山県昌景を将とする一軍には、徳川家康の制圧する三河・遠江西部を攻撃させた。

これら先発二軍団は、同年九月末に出陣している。

信玄を総大将とする本隊は、十月三日に甲府を発し、途中、先発軍と合流・分散を繰り返しながら、家康の重臣・中根正照の守る二俣城（現・静岡県浜松市天竜区）を包囲。二十余日の激戦の末に、これを陥した。

次は、家康が大敗して有名になった三方ヶ原の合戦である。

この時点で、信玄の上洛を阻む勢力は、信長しかいなかった。

信玄は上洛戦の準備段階で、相模（現・神奈川県の大半）の北条氏政と改めて同盟を締結。関東の豪族・常陸（現・茨城県の大半）の佐竹義重や安房（現・千葉県南部）の里見義弘にまで手を打っている。

宿敵・上杉謙信を封じ込めるためには、こうした同盟に加え、正室・三条夫人の実妹を妻とする本願寺顕如（光佐）を介し、越中（現・富山県）・越前の一向宗門徒を押さえにあてていた。

一方、伊勢（現・三重県の大半）の北畠氏の旧臣や、もと美濃の守護・土岐頼芸（よりのり、とも）らにも緊密な連絡をとっている。十五代将軍・足利義昭（十三代将軍義輝の弟）の要請により、室町幕府の再興という名分もあった。上杉謙信は〝義〟の人であったから、あるいは、信玄の上洛を見逃す公算もなくはなかったであろう。

ところが、突如として武田勢の進軍速度が鈍り、野田城攻略の指揮をとっていた信玄は、病いを発して急遽、帰国――その途次、駒場（現・長野県伊那郡阿智村）において没してしまった。ときに元亀四年四月十二日、信玄は五十三歳であった。

では、もしも信玄の発病が進軍に耐え得る程であったと仮定して、その後の展開はどのようになったであろうか。

信玄は、自身の病状を知っていたふしがある。行軍にあたって輦台を用意していたとの伝承があるくらいだから、病の対策にも万全を期していたであろうことは、十二分に考えられた。信長は対武田決戦に備えて、吉田から岐阜までの間に、一里に一人の間者を放ち、武田軍の動静を探索させていたという。

今日に残る史料の断片から推測して、信長は濃尾平野で信玄を包囲する作戦であったかと思われる。織田掃部（信正）の支隊を迂回させて刑部（現・静岡県浜松市）に進出し、山中、吉田の一線上に稲葉一鉄（良通）や毛利秀頼らの軍勢を伏せておき、信長自身は直属の二万五千の将兵で信玄の先鋒を迎撃する腹づもりであったようだ。

ところで諸書は、なぜか、このおりの信玄が信長に比べて圧倒的に優勢であったように述べている。

確かに、信長の軍団は畿内で、二進も三進もいかない状態にあった。近江小谷城（現・滋賀県長浜市）の攻略に向かったものの、越前・朝倉義景が浅井氏救援に駆けつけ、湖北の山岳地帯に要塞を構えた本願寺勢力も活発であった。

なによりも、畿内に隠然たる影響力を有する松永久秀すら、信長に公然と叛旗を翻したほどである。

信玄の人気は、京都の公家の間でも絶大であった。『新続犬筑波集』には、

〝都より甲斐の国へは程遠し
　おいそぎあれや日は武田（長けた）殿〟

といった句が読まれているほどだ。

けれども、一つだけ信長は間違いなく、信玄に勝るものをもっていた。経済力である。信長が十二ヵ国（家康領を併せると十四ヵ国）という、途方もない大勢力であったのに比べ、信玄は六ヵ国を領有していたにすぎない。しかも堺・琵琶湖・伊勢といった経済先進地域は、すべて信長の手中にあった。

——合戦も煎じつめれば、国力戦である。

どのように見ようとも、信玄にそれほど分があったとは思えない。なるほど、緒戦の段階で武田軍は、信長の包囲陣を破ったかもしれない。だが、信長として一度や二度の敗戦で、尻尾を巻くようなこともなかったはずだ。

両者の戦いが長期にわたれば、国力に勝る信長は勢いを盛り返すであろうし、上杉謙信などとの連携も画策するに違いない。また、長く延びた兵站は信玄軍にとって、厳しい状況を生じさせることにも繋がったはずだ。

そうなれば、「肺肝の患い」(『御宿監物長状』)をもつ信玄は、いずれ戦い抜くことのできなくなるときがきたであろう。

信玄の跡は子の勝頼ということになるが、その力量のほどは、歴史が如実に証明しているところ——いずれにしても、「武田幕府」は不可能であったのではないか。

経済力=国力をifの先にもってくれば、おのずと歴史の正しい姿が見えてくるものだ。

もし、上杉謙信の関東征伐が実現していれば?

天正六年(一五七八)三月九日、上杉謙信(輝虎)は脳出血のため、突如として人事不省に陥った。ときあたかも謙信が、周到に準備した関東征伐出陣の直前——上杉家の混乱たるや、まさに空前絶後であったろう。

前年の天正五年、越中を制圧した謙信は、織田信長の軍団=北陸方面軍（柴田勝家）とついに激突。能登（現・石川県北部）・加賀（現・石川県南部）を瞬く間に占拠し、電光石火の早技で織田軍を一蹴、越前の半ばをも平定した。

〝上杉に逢うては織田も手取川
　はねる謙信にぐるとぶ長（信長）〟

という狂歌の作られたのも、このときのこと。

謙信は次の目標に、関東全域の併合を目論んでいた。

他の武将がこのような大それたことを画策しても、単なる大風呂敷と一笑に付されてしまうだろうが、謙信の場合はすでに、〝天才戦術家〟としての威名が天下に轟いていた。

――去る永禄三年（一五六〇）のことである。

「関東管領」という、もはや有名無実に等しかったポストを、上杉憲政から譲渡された謙信は、保護を求めてきた関白の近衛前嗣（のち前久）を、関東公方に就任させるといった大義名分のもとに、すかさず関東八ヵ国の豪族たちに、巨大勢力・北条征伐の〝義兵〟に参加するよう、求める檄を発した。

春日山城を一万余で出陣した越後軍は、すぐさま沼田城（現・群馬県沼田市）を抜き、厩橋城（現・前橋市）を陥して相模国に殺到する。

敵将・北条氏康はそれまでの防衛ライン＝隅田川や多摩川を放棄し、松山城（現・埼玉県比企郡吉見町）、古河城（現・茨城県古河市）も捨てて、一目散に本拠地・小田原城へ退去してしまった。

この間、わずかに二カ月。謙信はいまだ防衛の不充分な小田原城を一気呵成に攻めようとするが、このとき宿敵・武田信玄が後方の碓氷峠に忽然と出現した。

そのため、退路を遮断されるのを恐れる周囲の者に反対され、謙信は小田原攻撃を中止したことがあった。

しかし、天正六年の出陣にあたっては、宿敵の信玄はすでにこの世になく、後継者の勝頼も長篠・設楽原の合戦で大敗を喫しており、とても越後勢に立ち向かう気力はなかったであろう。織田軍も、謙信との敗戦後は鳴りをひそめていた。

かりに信長が動き出そうとも、本願寺と和睦をした謙信としては、恐れることはなかったはずだ。いわば謙信は後方に憂いをもたずに、一路、前方の北条氏討滅に邁進できたわけである。

多分、出陣すれば関東征伐は、短期間で終わったに違いない。

謙信の死は、同年三月十三日未刻（午後三時ごろ）とされている（享年、四十九）。だが、このおり軽度の卒中であったとすればどうであろうか。

半身不随になっても、彼は出陣したであろうことは想像に難くない。一挙に関東を降した謙信は、おそらく武田勝頼を同盟者に誘うだろう。事実、信玄は、

「謙信をたよるべし」

と遺言したとも伝えられている。

現に、長篠・設楽原での大敗後に宿将・高坂弾正忠（昌信）は勝頼に、武田家存続のためには謙信の〝義〟に訴え、縋るよりほかにない、と執拗にすすめていた。

正義の人・謙信は、落ち目の勝頼を哀れに思って、手を差しのべたに相違ない。

ここに上杉・武田連合軍と織田・徳川連合軍の、一大決戦の可能性が生まれる。

謙信が得意とする短期決戦を、先手をとって開始したとすれば、信長は畿内に押し込められ、家康は三河に封じ込められたであろうことは、十二分に考えられた。

鍵は本願寺との和睦を、謙信がどれほど保てるか、であったが、場合によれば謙信主導の室町幕府が再興・成立したかもしれない。

ただ、謙信にそれまでの寿命があったか否か。再度の発作がないとは、いい切れまい。

すべてがうまく運んだとしても、長期の政権はとうてい叶わなかったであろう。謙信の死がふたたび乱世を招来し、信長が首をもたげてくるのは間違いなかった。

もし、信長が本能寺の変を生きのびていれば？

天正十年（一五八二）六月二日未明、京都四条西洞院本能寺を一万三千の兵で包囲した明智光秀は、ついに主君・織田信長を自刃に追い込んだ。

しかし、信長の死体は明確に確認されていない。

そこで「もしも」の話だが、信長が影武者を立てて、茶人や女人たちの中に混じって本能寺を脱出したとしよう。

または、変の直前に内通した者がいたとすれば、その後の日本はどうなっていたであろうか。

信長はそれまでの合戦でそうだったように、敗北すると思えば単騎でも逃走したに相違ない。めざすは安土城である。途中、光秀の哨戒網を一つか二つ突破すれば、その先には信長を捕らえる準備はなされていなかった。これは史実である。

光秀の奇襲時の、一大弱点と言ってよい。

信長は当然のことながら夜明け前に、安土城に到着する。

早速、留守居（るすい）の蒲生賢秀（氏郷の父）に命じて、城砦の防御態勢を固めるとともに、北陸戦線の柴田勝家、関東に在る滝川一益（たきがわかずます）、甲州の河尻秀隆（かわじりひでたか）、信濃（しなの）（現・長野県）を守る森（もり）長可（ながよし）ら、近在の諸将に密使を急派して安土に兵力を結集する。

他方で、中国筋にいる羽柴（のち豊臣）秀吉、大坂で四国征伐の準備に余念のない丹羽長秀にも使者を送り、光秀がどのような行動に出ようとも、けっして動じないように、と指示を出す。

この時点で、嫡子の信忠は二条の御所（二条新御所）で討死していることは留意せねばならない。

筆者が関心あるのは、光秀を討伐した信長が、その後の生涯でどこまで、戦争を仕掛けつづけたかであった。

まず、中国地方は言うに及ばず、四国・九州も短期日に征服したであろうことは想像に難くない。とすれば、次は朝鮮半島であろう。

のちに耄碌した秀吉が、鈍った判断でかきまわした、二度の外戦ではない。

ことの善悪はさておき、「大航海時代」の、それも五十代前半の信長が決行したとすれば、さぞかし様相も異なっていたことであろう。

天正六年に信長は早くも、六艘の鉄甲船を保有していた。

矢倉に鉄板を張った、長さ十二・三間、幅七間の鉄甲船には、大砲が三門、精巧な長銃が数多く備え付けられていたという。

ほかにも信長は大型輸送船を、以前にも琵琶湖に浮かべている。こうしたことからも信長は、渡海用の大型の軍船や輸送船を、一挙にしかも大量に製造したであろう。

いまひとつ、秀吉と信長ではその立場に大きな相違があった。

秀吉にとって徳川家康や前田利家はかつての先輩格や同僚であったから、独裁性を発揮するにも限界があったが、信長にはなんら気がねしなければいけない者など存在しなかった。

家康は弟分的存在とはいえ、その扱いは配下の一部将と変わらなかったから、早々と秀吉と家康を先鋒の将に任じ、朝鮮半島を攻めのぼらせたであろう。

秀吉にしろ家康にしても、信長の命を受けての出征となれば、小西行長（こにしゆきなが）のような終戦を見込んだ外交はできなかったであろうから、結局、日本軍は朝鮮半島を席捲（せっけん）して、明国（みんこく）へ傾込（なだれこ）まざるを得なくなる。では、この場合の勝算はあったのだろうか。

史実の明国は、秀吉の二度の侵略戦争によって疲弊し、半世紀ののちにツングース民族の一種族＝満州族の清王朝に滅ぼされている。が、このおりの満州族は老若男女合わせて、推定二十万人であった。いたって少数の民族が瞬く間に、大明帝国を討ち従えたことになる。

史実の秀吉が朝鮮に動員した兵力も、同数の二十万人であった。

しかも、後方にはおよそ二千万人の人口がひかえていて、国力や軍事力など多くの分野で秀吉は、満州族よりは圧倒的に優位であったはずである。

　これらから推し測って、信長ならば中国大陸への侵攻によって、明国に決定的ダメージを与えた可能性は、きわめて高かったのではあるまいか。世界は「大航海時代」のポルトガル・スペインに代表される、植民地獲得戦争のまっ最中であった。

　信長は明国を制覇すると、日本国皇室から然るべき人物を中国大陸に招請し、そして、インド、ヨーロッパへと次々に、その矛先を向けていったであろう。

　彼ほどの気性と果敢さをもっていれば、あるいはヨーロッパの一部すら、併合し得たかもしれない。

　アレキサンダー大王に並ぶ、世界の征服者になったかも。

　本能寺の変で横死しなかったからには、それ以外に信長らしい最期はなさそうである。

　もっとも、後継者の信忠は本能寺の変で死んでいるから、かりに次男の信雄、三男の信孝が次代に擁立されたとしても、二人の能力はしれている。

　信長の死後、織田家は内紛を生じ、その混乱に乗じて家康がとってかわり、歴史をもとへ戻したことも充分に考えられた。

　歴史は逆流しないし、復元力を持っているのだから。

もし、信長の嫡子・信忠が存命なら家康・秀吉らは？

天正十年（一五八二）六月二日の本能寺の変のおり、二条御所であえない最期を遂げた信長の嫡子・信忠は、ときに二十六歳であった。

すでに、信長の直孫・三法師（さんほうし）＝秀信（ひでのぶ）をもうけていた。

もし、信長だけが本能寺で横死し、二条御所の信忠が奇跡的に脱出して生き延びたとすれば、その後の日本史の展開は、さて、どのようになったであろうか。

中国地方から駆けつけた羽柴秀吉の軍勢と合流し、弟の信雄・信孝らとも力を併せて、信忠は明智光秀を討ったであろうことは、まず間違いないであろう。

問題はむしろ、その後である。これはあくまで想像の域を出ないが、信忠の人柄を徳川幕府草創期の二代将軍秀忠（ひでただ）と似ている、と連想してみるのもifの一つかもしれない。

信長によるワンマン体制から、集団指導体制へ——つまり、四方面軍の司令官・柴田勝家、丹羽長秀、滝川一益、秀吉に、信忠の次弟・信雄、三弟・信孝を加えて、史実の「管領」や「五大老」のような重鎮の制度ができたのではあるまいか。

早くからの同盟者・徳川家康、和睦の成った毛利輝元（てるもと）はいわば顧問格に棚上げし、以前から信長支配下にあることを望んでいた大・小名を組み入れて、いちはやく中央集権制を敷いた可能性は否定できない。

信忠は天正五年の松永久秀討滅、同十年の武田勝頼討伐に先鋒軍の大将をつとめるなど、戦場経験も豊富であったし、信長の子女の中では一頭優れた武将であった。

したがってifの世界で、家康といえども、また秀吉にしても信忠に対しては謀叛を起こすなどとはとうてい考えられず、おそらくともに、信忠のもとでその生涯を終えたのではなかろうか。

そうなると三法師＝のちの岐阜中納言・織田秀信は、関ヶ原の合戦のあと、高野山へ入って惨めな死（慶長十年＝一六〇五、二十六歳）を迎えるようなことはなくなり、徳川政権三代の家光（いえみつ）のごとき存在になったことは十二分に考えられる。

三代将軍・徳川家光は、諸大名を集めて、

「祖父や父は、そなたたちのかつての同僚であったかもしれないが、余は生まれながらの将軍である」

と言ったが、そうしたエピソードのように、秀信も織田政権の安泰を諸国の大名を招いて宣言したことであろう。

しかも、信忠が存命中に家康や秀吉が没するようなことでもあれば、存外、集団体制で発足した織田政権も、長期政権になり得た公算は捨てきれない。

加えて、日本は鎖国政策を採用せず、また、明治を待たずして貿易立国として広くアジアを中心に、世界にはばたいていたのではないだろうか。

国際感覚にすぐれた、信長の遺志を踏襲して——。

この場合、日本史はおそらく対ロシア外交をもって、明治の日露戦争の前後あたりで合流したかもしれない。

もし、秀吉が敗死していれば、次期政権には誰が就いたか？

ところで、秀吉は織田家の中でも第一の出頭人(しゅっとうにん)であったが、門地などが格別にあったわけではない。

それだけに秀吉の立身出世は、常に己れの生命(いのち)を賭した危険極まりないもので、美濃攻略戦のときも、敵地深くに潜入しては土豪(どごう)たちを説得し、主君信長に帰順させる際(きわ)どいことをやっていた。

ときに、苦労して帰順させた土豪を、信長に斬るように命じられ、進退きわまって己れの生命(いのち)を楯(たて)に、その者を逃がそうとしたこともあった。

墨俣の出城構築にしても、また、金ヶ崎(かねがさき)（現・福井県敦賀市）での敗戦時の殿軍(しんがり)の志願など、どの場面をとっても秀吉が死んでいておかしくはないものばかりであったといえる。

もし、秀吉が本能寺の変より以前に他界していれば、明智光秀はどうしたであろうか。

たとえば、もし秀吉がこの世になく、光秀が本能寺の変をやったとしたら、この場合のキャスティングボートは存外、徳川家康が握ったのではあるまいか。

家康はまず、理解しやすい柴田勝家を援けて、光秀を滅ぼしたことが考えられる。与しやすい点でも、光秀よりもはるかに勝家のほうが楽であったろう。そのうえで、徐々に勢力を増大し、勝家と賤ヶ岳を戦ったとすれば、興味深い一戦が見られそうだ。

おそらく家康は、信長の愚息・信孝をそそのかして、勝家と完全に離反させ、信孝を名目人として天下分け目の合戦に臨んだに違いない。信孝の兄・信雄を使ってもいい。

この頃、前田利家は勝家の幕下にいたであろうから、〝天下分け目〟の一戦により、あるいは、のちの〝加賀百万石〟は見事に潰え去っていたかもしれない。否、むしろ家康は関ヶ原のおりに見せたごとく、利家を利をもって誘ったと見る方が正しいかもしれない。

そうなれば利家は、史実の小早川秀秋と同様の悪評を後世に受けた公算が高くなる。

結果、歴史はふたたび徳川家の方向へ流れを変えたであろうか。

もし、豊臣秀頼が大坂冬の陣で講和を拒否していれば？

慶長八年（一六〇三）二月、史実として日本史では、徳川家康は征夷大将軍となり、名実ともに念願の天下人となった。

だが、世間では家康を豊臣政権の家老とする見方が依然、根づよく、当の家康も、己れの老齢化に反比例して、秀吉の後継者・豊臣秀頼（ひでより）が成人していくのを見るにつけ、いい知れぬ不安と焦燥に駆られていた。

なんとしても、己れの生きている間に決着をつけたい、と焦（あせ）る家康は、慶長十九年七月、京都・方広寺（ほうこうじ）の鐘銘（しょうめい）「国家安康君臣豊楽」に言いがかりをつけ、秀頼に臣従と大坂城明け渡し＝国替（くにかえ）を迫った。

無論、秀頼にはそのような暴論は呑めない。

毅然（きぜん）と拒否するや、家康は二十万の大軍を率いて京都を進発する（十一月十五日）。いうところの、大坂冬の陣である。

これに対して大坂方＝豊臣方も、着々と迎撃態勢を整え、大名たちの荷担こそなかったものの、長宗我部盛親（ちょうそがべもりちか）・明石全登（あかしぜんとう）（てるずみ、たけのり、とも）・後藤又兵衛（ごとうまたべえ）・仙石秀範（せんごくひでのり）・真田信繁（さなだのぶしげ）（俗称・幸村（ゆきむら））ら、かつての大名や優れた武将たちを中心に、牢人（ろうにん）衆十余万を結集。

同月十九日、合戦の火ぶたは切って落とされた。

通常、攻城戦には籠城側兵力の十倍以上が必要とされている。それでなくとも、大坂城は天下の堅城、日本一の巨城であった。

それを攻めるに、家康の攻城兵力は実のところ、城内の二倍程度のものでしかない。大坂方は断然、有利であったといってよい。

にもかかわらず、秀頼の周囲——とくに母親の淀殿（浅井長政とお市の方の長女）——が、家康の苦しまぎれに打った謀略＝女、子供を恐がらせて、和睦に応じさせる策謀に嵌り、和睦。大坂城の外堀のみならず内堀まで埋め尽くされ、あわてて夏の陣を構えたものの、あたら豊家滅亡をはやめる結果を招いてしまった。

大坂夏の陣は、開戦から、わずか一カ月で決着がついてしまう。

冬と夏の間——双方の和睦について諸書は、家康方の放った大砲による攻撃の成果が、あたかも講和に繋がったごとく述べている。が、これは信じ難い。当時の大砲が、両軍の対峙する距離（本丸・二の丸までほぼ二キロ）を飛んだ、とは考えられない。

そのような大砲があれば、この合戦から二十余年後の島原・天草での籠城戦も、もっと早くに幕府軍は一揆勢を殲滅できたはずだ。

また、何にも増して講和後に——約条違反をしてまで——大急ぎで城塀を破壊し、内外の濠を埋める必要もなかったろう。

この家康の行為はむしろ、大坂城の総攻撃に、砲撃がまったく通用しなかったことを示唆していた。

にもかかわらず、豊臣方はなぜ講和に応じたのか。砲撃の音や地中を掘っての大坂城への接近——つまり、家康の仕掛けた心理戦に、城方の女たちが揺さぶられ、偶然に落ちた大砲の玉が、淀殿の近習に当たって死んだことから、淀殿が精神的に参ってしまったのである。

そこで、もし、家康の和睦提案を、大坂方が淀殿を説得して、厳しく拒絶したとすれば、その後の展開はどうなったであろうか。

家康は自らが大坂城攻撃を仕掛けただけに、かつての主家に弓を引く立場となっている。諸大名への、面目もあった。

この年の冬は殊の外、寒さが厳しかったわけだ。

『当代記』によれば、次のように述べられていた。

「卯辰の刻（朝五時頃）より又雨。晩より風烈して寒きこと甚し」

七十四歳の家康にとって、十月以来の月日は長く、寒気は心身にこたえたに違いない。留意したとはいえ、戦陣の仮の陣屋である。寒風に吹かれ、冷雨にうたれながら、攻城に参加している将兵も同様であったろう。

攻城戦は結局うまくいかず、家康は不名誉な撤退を強いられることになったはずだ。

これは、実質上の敗北である。

当然、大坂城は破却されることもなく、天下人の敗北は、あらためて豊臣恩顧の大名た

織田信長とライバルたちの死亡年

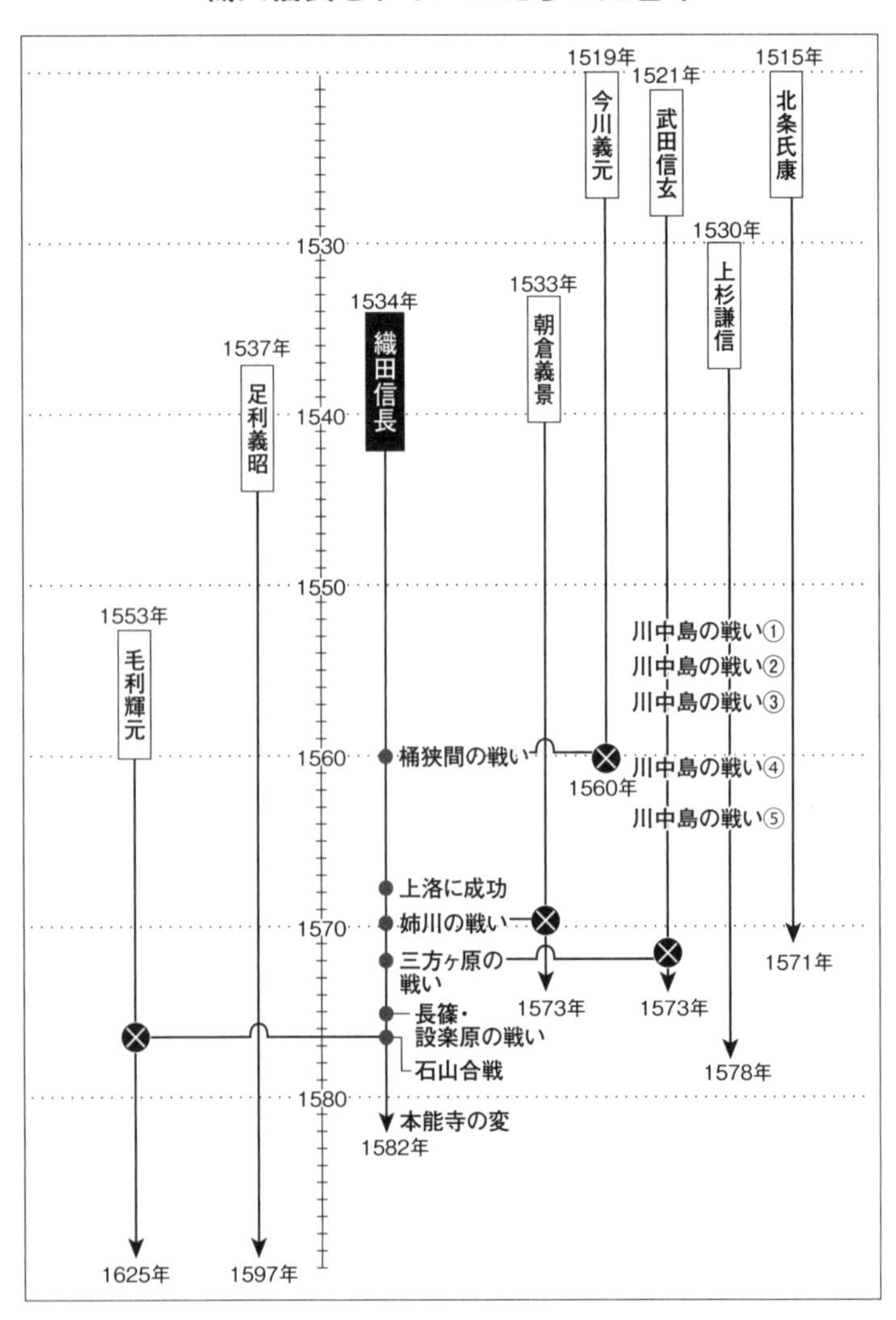

ちに、若い主君秀頼を認識させることに繋がったであろう。

いずれにせよ、家康在世中に豊家の滅亡はなかったかと思われる。

そうなれば家康の死後、秀頼が再び天下人になれた可能性もでてくるのではあるまいか。

さて、そうなると歴史は、何処でわれわれの知る日本史に合流したであろうか。

こうしたifの日本史を、筆者はことのほか大切に思うのだが、歴史を友とする読者(あなた)はどうお考えであろうか。

第二章

比較することで現れる本質

よく似た二人――前島密と坂本龍馬

章の冒頭から、いささか場違いな話で恐縮だが、学生時代、歴史学の概論の講義を聞いていて、何らかの話の流れで、ふいに、

「片乳房、握るが欲のできはじめ」（『柳多留』）

という言葉を耳にした。

このときの講義の先生が誰であったか、もはや覚えておらず、歴史哲学のどの項目で語られた話であったかも、今となっては薄ぼんやりして思い出せない。

ただ、鮮明に記憶しているのは、生まれたばかりの赤ちゃんには、欲というものがないが、母親の乳を口にふくんでいるうちに、生きることへの欲が生まれる。その最初が、一方の乳にかぶりつきながら、もう一方の乳を小さな手で握る行為だというのだ。

「なるほどなァ」

甚く感心したのを、今も覚えている。

つまり、もう一つある乳を他人に取られまい、と赤ちゃんが智恵をはたらかせたわけだが、やがてこの欲＝智恵は、二つの乳を比べることに繫がっていく。

たとえば、右より左の方が乳の出がいいとか、左より右の方がおいしい（？）とか。

人間はどうも、比較することによって事物を認識する癖を、種族的に持っているのでは

あるまいか。

美しい絵画を見て感動したときも、人は多くの場合、これまでに鑑賞してきた絵画の中の作品群と、瞬時に目の前の作品を比べている。

「この前に見たルノアールの作品より、このフラゴナールの絵画の方が僕は好きだ」

というように。

まず、比べる——これは人間の、営(いとな)みの基本といえるかもしれない。

実は、歴史学もこの比較することを無意識のうちにやっている。

「平安時代の貴族は——」

という場合、研究者はそれ以前の平城京＝奈良朝の頃の貴族、たとえば万葉の歌人や後世の鎌倉時代の貴族と比べての、論旨を述べることが多い。

「平安時代の庶民の生活は——」

というときも、同断である。

必ずといっていいほど、過去や未来の庶民との比較——時代の流れでいえば、上流と下流。あるいは、同時代の貴族と庶民を比べての論旨となることが少なくない。

身分や出自、階級や文化、風俗といったものを歴史学では比較論によって述べることが、きわめて日常化している。

筆者はこれまで、歴史上の人物や組織を比較した評伝を幾つか記述してきた。なかでも、『明治維新の理念をカタチにした　前島密の構想力』（つちや書店）――それ以前では、『郵政の父・前島密と坂本龍馬』（二見書房）などが、わかりやすいかもしれない。

この書で筆者は、前島密と坂本龍馬を比較している。意外なことに、二人は同じ天保六年（一八三五）の生まれであった。

一方は北の越後国頸城郡下池部村（現・新潟県上越市下池部）の豪農の家に生まれ、他方は南の土佐藩の郷士の小倅として生を受けている。気候も風土、人情も異なる二つの地方に生まれた二人は、その後、驚くほどよく似通った軌道を歩んでいく。

前島は医者であった母方の叔父・相沢文仲のもとで当初、医学を志すが、やがて蘭方医を選択。苦学しながら、蘭学の基礎を学んだ。

一方の龍馬は、郷士の子として小栗流の剣術を修行する一方で、やはり蘭学を志し、実家の近くに住む島与助に蘭学（主に砲術）の手ほどきを受けた形跡があった。

時代が、黒船来航にはじまる幕末の開国期に重なる。

二人は期せずして、蘭学の中から兵学を専攻するようになり、前島は西洋流砲術の大家・下曾根金三郎に学び、蘭学の翻訳を生業として、兵学の知識を蓄えていった。

龍馬の場合は、土佐藩の西洋流砲術の先駆者で御持筒役の徳弘孝蔵（下曾根の門人）の門下に学び、さらに十九歳のときには佐久間象山（ぞうざん、とも。下曾根の兄弟子である江川太郎左衛門の門人）の私塾に入門している。

前島が実習を蝦夷地（現・北海道）に渡って、武田斐三郎（成章・象山の門人）について修めたのに比べ、龍馬は勝海舟（象山の学友）の門人として、神戸海軍操練所――正しくは隣接の私塾に学んで、海軍・海運の実務を身をもって修行した。

二人は身につけた航海術、海運の技術をもって世を渡ろうとも考え、前島が箱館（現・函館）の船をもちいて貿易を実行し、利益を上げたように、龍馬も「亀山社中」「海援隊」を通して貿易と海軍の両立を模索する。

――調べれば調べるほど、この二人の前半生はよく似ていた。

比較史学の萌芽

この場合、比較するといっても二人の表面的に現れる行動＝現象のみにとらわれたのでは、本当の意味の比較にはならない。

根をもっと深く、二人の「心象」へ掘りさげていかなければ意味がない。

国難というものに直面したとき、すでにそれに対処できる基礎知識、具体策を身につけた人間は、どう対応するのか――公と私の中で、毅然と〝公〟を選択した二人は、互いの答案を書いた。

龍馬は薩長同盟の締結に関わり、一方で師や先輩に学んだ大政奉還論を展開し、いわば両面待ちの状態で、新しい国家の創造＝〝御一新〟への扉を開く役割を担ったが、慶応三年（一八六七）正月十五日、見廻組に暗殺されてしまった（享年、三十三）。

一方の前島は運命の皮肉からか、慶応二年十一月に幕臣であり、京都見廻組の隊士でもあった前島錠次郎の養子となって——討たれた者と討った側の人間という意味で——一瞬、龍馬と交差する。

その後、前島は兵庫奉行所の手附役に自ら志願し、神戸港の関税の実務を現場で学び、鳥羽・伏見の戦いに九死に一生で生き延び、明治を迎えると、榎本武揚や大鳥圭介への恭順説得にあたり、上野の彰義隊戦争のあとは、旧幕臣の静岡移住にともない、遠州中泉奉行をつとめた。

筆者はこの二人の生き方、学んだ学問の内容、人脈の流れ、思考した構想といったものを内面側から検証して、比較し、実に酷似したものを二人は持っていた、と断じてきた。

ここに、比較の醍醐味が現れる。

たとえば、第一章で見てきたifを比較の方向からながめることができる、というのがそれだ。

もしも坂本龍馬が、明治維新を生き残っていたとすれば、彼は前島密と同じようなことをやった可能性がある、との説得力である。

一度は国許(くにもと)へひきこもったかもしれないが、前島がそうであったように、龍馬も再び中央へ召されたに違いない。

前島は民部省へ出仕し、日本の近代化に関わるほとんどの事業に参画している。蒸気機関車を走らせること、電報・電信を広く普及させたこと。

そうした努力をしながら、彼は〝三菱〟の育成の担当者もつとめた。

もし、前島がこのとき政府にいなければ、〝三菱〟は海運で日本をリードすることはなかったろう。同様に川崎造船所を育てたのも、前島であったといえる。

この人物は、自らが財閥を創れば、十二分に創業者となれることを知っていながら、あくまでも〝公〟にこだわりつづけた。独立国日本に必要なものを育成し、欧米列強へ立ち向かう、との志(こころざし)と言い換えてもよい。

このあたりに筆者は、龍馬と同じ匂いを嗅ぐのだが、読者はいかがであろうか。

そして前島は、文明開化の具体策として〝郵便事業〟にこだわった。

日本中、どこへでも同じ低料金で手紙を送ることができれば、文明の情報は広く国の隅々にまで伝えられ、物価の高低もなくなる。等しく国民は、〝御一新〟の成果を享受すべきである、というのが、前島の考え方であった。

その過程で、「飛脚（ひきゃく）は使えない」との結論を得る。

飛脚は一カ月に三度しか定期便がなく、月に三度往復するので「三度飛脚」と呼ばれたり、六のつく日に出発することから「定六（じょうろく）飛脚」などと呼ばれてきた。

定期便以外でも飛脚は出たが、残念ながら毎日出発したわけではない。雨や雪、風も少し激しければ休みとなった。

加えて、依頼を断る遠距離地も少なくなかったのである。

「郵便は全国津々浦々へ、自由に〝信書〟〝物貨〟が運ばれねばならぬ」

そのために前島は、全国各地に「郵便御用取扱所」（郵便局）を設置、交通の要所に郵便箱（ポスト）を立てた。

実行を急ぐ前島は、極力、飛脚屋への説得を後回しにして、〝新式郵便制度〟をスタートさせたわけだが、飛脚にすればこれは死活問題である。

各地で郵便と飛脚の衝突、小競合い（こぜりあい）、ネットワークの奪い合いが起きた。

互いに譲れないだけに、事（こと）の解決は至難であった。業者にすれば、敵は巨大な国家である。廃止の請願は達せられない、と悟るや、彼らは生き残りを懸けて、料金の大幅値下げを断行し、郵便と競争する道を選択した。

「これはいかんな」

と、状況を見てとった前島は、明治五年（一八七二）四月、「東京定飛脚屋」の総代・佐々木荘助との会見を行った。

官尊民卑の明治初期とはいえ、佐々木は臆することなく、二百六十年余もわが国の通信を担ってきた飛脚の功徳を述べ、

「お上においては、これを賞誉していただくべきを、かえってこの仕事を奪い取ろうとなさるのは、きわめて道理に合わないことでございます」

きっぱりと、新式郵便制度の廃止を訴えた。

佐々木と会見した前島は、ここで比較論を持ち出すのだった。

比較史学の一例

「では聞くが——」

前島密は、「東京定飛脚屋」の総代・佐々木荘助に尋ねた。ここで興味深いのは、前島が佐々木を説得するために、比較の論法を用いた点であった。

「——仮に、政府が君たちの請願を容れ、通信の一切を君たちに任せたとして、たとえば安房（現・千葉県南部）のある村に送る一通の信書を、さて賃銭いくらで届けてくれるか

ね」

佐々木は待ってましたとばかりに、

「一人の人夫を特発しなければなりませぬから、賃銭は一両かかります」

と答えた。

すると前島は、さらに問う。

「同じように一通の信書を鹿児島まで、あるいは北海道の根室まで届けるとすれば、どうだろうか」

「いずれも日本の端ですから、特使を発してもむずかしいでしょうから、賃金は何十両かかるか分かりませんな」

正直な佐々木の返答だった。

そこで私は一歩を進めて、一衣帯水(いちいたいすい)を隔(へだ)つる朝鮮の釜山(プサン)にはどうだ、支那(シナ)の上海にはどうだと畳みかけて問ふと、彼は唖然として答へる事が出来ない。猶(なお)英米にはどうだ、露仏にはどうだと聞くに、茫然として気抜の様で、どうして達しるか其道(そのみち)を知らないと言って、大(おおい)に恥入った様子であるから、私は抑(そ)も通信といふ者は、国際上に貿易上に又社交上に極めて必要な事であって、内国は勿論(もちろん)、外国へも通信の設のある文明国には、遍(あまね)く達すべき設備がなくてはならない。それを君等の家業の様に一地一部を限った通信では此(この)大目的に適しないといふ事を、徐(おもむろ)に言って聞かせた。(「郵便創業談」・前島密著『鴻爪痕(こうそんこん)』所収)

語りながら前島は、なんとなく佐々木がかわいそうになったようだ。本来、飛脚は上海やイギリス、アメリカなどへ走るようにはできていない。それを承知の、問いかけであった。前島がここで強調したかったのは、通信の全国ネット化の意義であった。

主要都市だけを結ぶのではなく、全国どこからでもどこへでも信書を送り、送られる体制。しかも安い価格で、誰にでも自由に利用できる制度でなければならない、と彼は言いたかったのだ。

天候にも左右されず、毎日定められた業務運行をおこなうことが、〝新式郵便〟の特徴だとも語った。

佐々木はこれらを聞いて、抵抗を心底、断念した。

「とても、自分たちのやれるところではありませぬ」

と敗北を認めたからだ。

つまり、〝新式郵便〟に比べて、飛脚制度は不備であることを、相方比較して理解したわけだ。

しかし、このまま引き下がったのでは全国の飛脚屋が飯を食っていけなくなる。

彼（佐々木）は頗る覚った様子で、低頭して、私共不学無識にして政府の盛意を存ぜず、通信事業の斯くまで肝要であって、其関係の斯く迄広大である事を知りませぬ為め、たゞ自己目前の利を失ふ事を憂ひて、政府を怨み郵便を嫉み、剰さへ苦情を鳴らし強願まで致した段、甚だ恐れ入りました。今謹んで仰せを承はりましたから、退きまして速に同業の者共に其旨伝へまして、請願を撤回致し、競争を止めさせまするが、併し俄に利益ある事業を官に収められましては、（飛脚屋は）是よりして営業の衰頽を来たし、悲惨の境遇に陥いるのは知れて居りますから、何とか御救ひ下さる道を願ひたいと言ふので、私（密）はそこで同業団結の事を説いて、其団体を駅逓寮で使用する事を話して能く本寮の命令を奉じて従事すれば、所謂禍を転じて福となすの道であると教へた所が、彼は欣んで感謝し、謹んで仰せに従ひ命に服しますると述べて帰りました。（同書）

こうして明治五年六月、佐々木が同業者を集めて作ったのが「陸運元会社」であった。資本金は五万円。初代頭取には、江戸の飛脚問屋として知られた「和泉屋」の当主・吉村甚兵衛が就任した。

佐々木は実は、この吉村の代理人として前島と渡り合っていたことになる。

本社は日本橋左内町（現・東京都中央区日本橋二丁目）の、「和泉屋」に置かれた。

吉村はなかなかに気骨のあった人物らしい。明治三年九月に奥州定飛脚を開いている。

明治五年七月には「陸運元会社」の創立を受けて、諸街道の助郷伝馬所およびこれに関する一切の課役を政府は廃止し、かわって「相対人馬継立所」を設立した。

郵便の全国的な実施は、「陸運元会社」の誕生を受けて始められた、ともいえる。

郵便物はもとより郵便切手の全国への配送、各郵便局＝郵便取扱人で使用する用品、そして為替や貯金の資金の運送も独占的に行い、国の保護のもと、「陸運元会社」は順調に成長していった。明治六年六月、全国各地に同社の出張店、分社、取次所などが三千四百八十店を数えた。

郵便為替の創業と外国郵便の取り扱いを開始した明治八年一月、従来の「郵便役所」や「郵便取扱所」の名称は「郵便局」と改まった。

郵便事業は凄まじい勢いで伸び、年々着実に郵便物も増大し、郵便線路も拡張されて、「陸運元会社」の取扱量も増えた。

明治八年二月には、社名を「内国通運会社」と変更し、資本金は八万一千七百円となっている。

この頃になると、同社は人馬継立業務のほかに、鉄道貨物の運送取扱や東京—熱田間の長距離馬車輸送も開始している。

発足以来三年で、旧態の飛脚問屋が陸上運送業者に転進してここまで来れたのは、飛脚側が前島の説得を素直に聞き、方向転換をすみやかに図ったからにほかならない。

進む比較文学

蛇足ながら、日本の郵政事業はほとんど国民の税金をつかわずに作り上げられたもので、一方では、万国郵便連合に加盟し、これが日本と欧米列強との間に幕末に交わされた、不平等条約を打破する第一歩となった。

——電話を国営に決したのも、前島の判断であった。

彼は大正八年（一九一九）四月二十七日に、この世を去っている。享年は八十五であった。

もしも、坂本龍馬が八十五歳まで生きたとすれば、どんな人生を送っていたであろうか。

われわれはそのヒントを、人物比較の中から得ることもできるのである。

ところが、この比べる歴史——すなわち、「比較史学」は、歴史家の世界で日本は大きく立ち遅れている。

否、ほとんど手がつけられていない、といっても過言ではなかったろう。

比較＝比べあわせる、この作業の学問的独擅場は、目下のところ情けないことに歴史学ではなく、文学の世界が担っていた。

——比較文学である。

フランス文学とドイツ文学の比較、哲学や思想の交流、外国での生活体験がもたらした結果など、活発にあらゆる方面へおいてその研究領域は広がっている。

それに比べて日本の歴史学は、相も変わらず、重箱のすみをほじくるような些末な作業のみを、実証的な研究だと思い込み、理屈をこねまわし、「比較史学」を理論の遊び、基礎史学の成果に覆い被さった学問外のもの、とする傾向が、いまだに主流をなしている。

嘆かわしいかぎりである。

では、なぜ、比較史学は興起しないのか。一に、歴史学者の中に、哲学から心理学まで学び、宗教も文化も風俗も、なんでもござれ、日本史はもとより、東洋史、西洋史もことごとく論じられる——それだけのスケールの大きな学者が出てこないからだ。

日本のアカデミズムは、ことごとくが狭い専門領域の研究のみに終始し、己れの扱う分野が狭いことに気がつく学者がほとんどいない。自らに課せられた使命を果たせば、ことたりると信じこみ、複数の国々を比較するダイナミズムや、恒久の歴史の流れを比べる叡智を持とうとはしない。

考えてみるとよい、日本の戦国時代をヨーロッパやアジアの国々と比較した場合のおもしろさを――。

比較史学の欠如した日本の歴史学は、中学生、高校生の授業からして無味乾燥である。面白くない、どうでもいいような細かいことを覚えさせられ、編年体に正しく順番に記憶することだけを教えられる。これではそもそも、歴史学とはいえまい。

歴史は答えだけを知っていても、何の学びにもならない学問なのだ。

要するに、日本の歴史の教科書がつまらない根本がここにもあった。

筆者は、比較史学の必要性を力説してやまない。

日本史の一つの時代にのめり込んで、現象にばかりふりまわされるのではなく、逆に日本を世界史の中に並べ、時代的、地域的な制約から解放して大所高所から見る。

どれほど、歴史の授業が楽しくなるだろうか。

だが、それができない。

語学上のカベ、想像力（イマジネーション）の欠如、研究における絶対時間の少なさ――このままいけば十中八九、文学の一分野であった「比較文学」の翼（ウィング）が広がって、比べるものが政治・外交・経済にまで及び、やがて「比較史学」の名称は比較文学に吸収されて、消えてしまうに相違ない。

歴史心理学の場合

では、逆のケース——他の分野を歴史学が吸収しそうな場合を見てみたい。

「これからは、歴史心理学が有望だ。勉強してみたらどうか」

大学生の筆者に声をかけてくれたのは、歴史学の先生ではなく、心理学専攻の助教授(現・准教授)だった。

恥ずかしいことながら、筆者はそのとき(大学二年)まで、「歴史心理学」という分野どころか、その単語すら知らなかった。意味が分からなければ、有望もへったくれもない。

慌ててこの未知なる分野を付け焼き刃で勉強したことを、今もよく憶えている。

最初に手に取ったのは、Z・バルブーの『歴史心理学』(真田孝昭他訳・法政大学出版局)であった。当時、題名に「歴史心理学」を銘打った、唯一の翻訳書ではなかったろうか。

しばらくして原題は、「歴史心理学の諸問題」であることを知ったが。

「知覚」「情動的風土」「ギリシャ世界」「英国人の性格の起源」といった内容が記述されていた。

バルブーは人間の精神がどの程度、歴史の過程から影響を受けるものなのかを、三つの論点で述べていた。
一、歴史的な発展とさまざまな特定の精神的機能

二、歴史的な発展と個人の精神的な組織構造
三、歴史的な発展と集合的な精神構造
ルーマニア生まれの著者の論証は、詳細でなお堅牢であったが、いかんせん、訳文がかたすぎ、加えてカタカナになじまない筆者には、どうにも内容が把握できなかった。

L・S・ヴィゴツキー著『精神発達の理論』（柴田義松訳・明治図書出版）やM・ブロック著『フランス農村史の基本性格』（河野健二、飯沼二郎訳・創文社）、A・P・ルリヤ著『認識の史的発達』（森岡修一訳・明治図書出版）などを片っ端から読み漁（あさ）ったが、心からの感動、納得は得られなかった。

筆者の頭はどうも、日本人としての意識に支配されているようで、カタカナの国のカタカナの物語は、いかに事例を読み返してもアタマが受けつけてくれなかった。

例外的に多少理解できたのが、J・ホイジンガの『中世の秋』（堀越孝一訳・中公文庫）であったろうか。この作品は社会史研究の原点として、一九一九年に最初の本が刊行されながら、いまだに色あせることがない。

ただし、筆者が〝多少〟わかったような気がしたのは、この著者がオランダのライデン大学の教授を務めた人で、副題の「フランス～ネーデルランドにおける十四、五世紀の生活と思考の諸形態についての研究」とあるごとく、二つの国の中世後期を分析の対象とし

たため、筆者はわずかながらオランダに滞在した経験があり、その終末を現地の歴史的遺産を通して実地に歩きながら、理解できる利点があったからだ。

ホイジンガにはのちに、いろいろと影響を受けた。

「歴史心理学」の線上で概説をするならば、フランスやオランダの十四、五世紀＝中世の末期を、それまで喧伝されてきたルネッサンスの告知に見ずに、〝中世〟そのものの終末ととらえた点が画期的であった。

一つの時代の、豊かな文化が時代の影響を受けて枯れていく。

そしてしぼみ、死に硬直する。とりわけ、次の一節は忘れられない。

「その（夕暮れの）空は血の色に赤く、どんよりと鉛色の雲が重苦しく、光はまがい（まがいもの、偽物）でぎらぎらする」（カッコ内は筆者による注）

ほかに、「歴史心理学」を「歴史人類学」と呼ぼうとしたル・ロワ・ラデュリの『新しい歴史』（樺山紘一訳）も通読した。どこが新しいのか、ラデュリは歴史を「農村」「人口」「気候」「風俗」などと対比させながら論じていたのである。

筆者（わたし）と同様、カタカナになじまない読者は、いささか退屈かもしれないが、もう少しだけヨーロッパを中心に述べなければ、「歴史心理学」の初歩的理解が得られない。

ヨーロッパにおいて、それこそアリストテレスの時代から君臨してきた思想は、一言でいうならば合理主義であった。理性こそが、この世で最高のものだ、と哲学は語りつづけてきた。

理性によって感情を抑制するところにこそ、人間の本質があるのだ、とする人間観と思えばよい。この系譜の象徴的な人物が、たとえばレオナルド・ダ・ヴィンチであった。

自然を支配する「全能なる人」(homo universale)——十三世紀以降のルネッサンスの成果、宗教改革や科学の発明と発見、工場制手工業(マニュファクチャー)の出現などは、ことごとくこの流れの上に積み上げられた成果であった、といえるわけだ。

人間が前向きであり、懸命に自然と闘うことによってしか生存できなかった時代背景が、その背骨(バックボーン)にあったろう。

心理学の反省から

ところが、文明であれ個人の意識・行動であっても、ものごとには必ず反省・揺り返しという作用が起きる。

十八世紀に入ってようやく、感情に基本をおく人間観が登場した。

人間の本質は合理主義ではなく〝感情〟なのだ、とヨーロッパの思想家たちは考えるようになった。博愛、人道主義(ヒューマニズム)——このことを一番理解しやすいのが、西暦一七八九年に起きたフランス革命であったろう。

ヨーロッパの思想において、その後、絶大な影響力を持ち、常に中心の役割を担うこの国は、革命の旗印に自由（liberté）、平等（égalité）、友愛（fraternité）をかかげた。

これは画期的、といってよい。

うち前二つは理性によるものだが、最後の一つは感情による成果であった。

ヨーロッパを中心に発展した心理学の概念は、当初、理性と感情を対立するものと捉えた。それが近代に入ってからは、両者が複合したもの、触れあうことによって相乗効果をすらもたらすものだ、と考えるようになる。

蛇足ながら、日本はどうかと考えてみると、残念ながら二十一世紀の今日にいたっても、いまだ教育の現場である家庭・学校は、近代以前の状態にあるように思われてならない。

知育偏重の教育が、相変わらずおこなわれている。

「――をしてはいけない」

「――をしなければならない」

といった行動規範を求めるわが国では、人間としての豊かな感情が育ちにくい。

狭い部屋に閉じこもって、殺戮を楽しむゲームばかりをやりながら、人格の偏（かたよ）った変人ばかりを増産しつづけているように、筆者には思えてならないのだが。

個人の生活は家族↓地域↓国家↓世界↓人類へと本来、広がっていくべきものであり、これらは郷土愛、祖国愛、同胞愛、人類愛といった言葉が示すように、感情によってもたらされるものであった。

以前、寺内礼治郎（てらうちれいじろう）の『歴史心理学への道』（大日本図書）を読んでいて、

> 「やさしさ」は強く、深く、静かな感情に支えられながら、歴史のなかに生きる人間的人格の表れとなるのである

という一節に巡り会った。

筆者はここにこそ、歴史心理学の拠（よ）って立つ根本がある、と考えてきた。

実は「歴史心理学」は、伝統的な「心理学」を批判することによって生まれた新しい分野であった。

先ほど挙げた各著作を拾い読みすると、「歴史心理学」を主張する彼らの言い分は、これまでの心理学は人間を対象にしながら、深いアプローチをしてこなかった、との批判が前提にあった。

言い換えれば、単純な心理学的事実の研究領域に閉じこもって、複雑な心理過程——す

なわち歴史とのかかわり——を皆目、研究してこなかったではないか。物理数学的用具のみを用いて、精密ではあるが巨視的な歴史の論理、社会発展の法則性にあえて目をそらしてきたのではないか、と彼らは言っていたように筆者には読みとれた。

頻繁に出てきた単語でいえば、「歴史的時間」「具体的な社会生活」「社会史」——これらがことごとく、人間の本性に絶えざる変化を作り出してきたのであり、心理学者はこれまでの生理的な土台を再検討して、科学的土台を築くためにも〝歴史〟を研究対象にしなければならない、というのだ。

たとえば、「義理と人情」という事象を科学的に検討した場合、かかわる領域はけっして心理学一つではあり得ない。

それこそ歴史、経済、政治、社会等の学問分野に加え、言語学、倫理学、民俗学、民族学、文学——云々。実に多くの学問領域が交差していることに気がつく。

何をメインにもってきて、どの学問とつなぐか。

それによって、「心理歴史学」も成り立てば「歴史心理学」もあり得るわけだ。

V・デ・ベルクは、「歴史心理学は人間の変化の科学（the science of change）である」と言った。

ここまで読み進められた読者の中には、「なるほど」と思いつつも、それにしても「難しい」と受けとられた方がいるかもしれない。かつての、筆者もそうであった。

ご安心を――。

ここに歴史心理学を見事に使いこなしている歴史家を紹介すれば、読者の多くは「難しい」から解放されるに違いない。

日本では網野善彦（あみのよしひこ）の研究成果こそが、まさに歴史心理学そのものである、と筆者は認識している。

首をかしげる方は、氏の阿部謹也（あべきんや）との対談『中世の再発見』（平凡社）を一読されるとよい。そこには前述した比較史学の方法を加味しながら、「社会史と歴史学の伝統」、在野史学についての、輝くばかりの言葉が並んでいる。

戦いは〝大国の理論〟で始まる

ヨーロッパに発生した歴史心理学の概説――もっとわかりやすく、との読者諸氏の声が聞こえてきそうだ。

では、少し論を展開して具体的な事例を見てみよう。

あれは、平成三年（一九九一）二月上旬のことであった。

湾岸戦争での武力行使をめぐって、日頃から関わりの深い歴史雑誌やビジネス雑誌の方々から、相次いでインタビューを求められた。以下、概略である。

「――多国籍軍のイラクに対する地上戦は、おこなわれると思うか」

異口同音、かつ大同小異の質問に筆者は、

「開始されるのであれば、一両日ということもあり得る。予想外に早いはずです」

ある種の自信と、なかば当て推量の入り混じった言葉で、答えたものだ。

前年の年末以来、早期開戦必至の予測をしていたのだが、それが一月十六日（米国時間）の開戦となり、短期集中決戦と地上戦の不可避の予見も、たまたま、ほぼその通りとなったから恥をかかずにすんだものの、正直なところ内心は冷汗ものであった。

なにぶんにも筆者は、国際政治学者でもなければ、経済の専門家でも軍事評論家でもない。それに、アメリカやイラクに関する十分な知識を持ち合わせていたわけでもなかった。分析しようにもデータに乏しく、仮に大量の情報が入手できたとしても、それらの解析すら満足にはできなかったに違いない。

頼れるものがあったとすれば、過去の歴史の教訓、事例から導きだされる普遍性＝法則、このときは歴史心理学であった。

「歴史はつねに勝者が綴る」

これは歴史学の常識、基本である。

戦争に置き換えれば、「戦争は大国が小国に仕掛けるもの」との常套語となった。

加えて、「歴史心理学」の事例研究（ケーススタディー）——歴史に人物がかかわったおり、どのような心理を受け取るのか——だけが、筆者の拠りどころであった。

湾岸戦争が終結した後となっては、単なる結果に過ぎないが、開戦前夜、ひきもきらぬテレビの戦争関連番組を見ていて、一つの奇異な現象に気づいた。

解説にあたる各分野の専門化のなかでも、とりわけ目を惹（ひ）いたのは、中東問題の専門家と称する人々であった。これら諸氏はおしなべて、アラブの民族性、宗教、今日の事態にいたった歴史的背景等々の多角的な分析を試みていた。

おそらく、その分析自体には誤りはなかったろう。

けれども、根本的なところに、目がゆきとどかなかったのではあるまいか。

つまり、戦争において攻撃をしかけるのはアメリカであって、イラクのサダム・フセイン大統領（当時）ではない、という大前提である。

開戦についての主導権（イニシアチブ）を問われれば、多国籍軍の主力を形成するアメリカ合衆国の意志、ジョージ・ブッシュ大統領（当時）の心理を忖度（そんたく）すべきではなかったろうか。

なるほど、イスラム側の情報に堪能な専門家からは、湾岸戦争を「十字軍戦争」に見立てることも、「アラブの兄弟の問題」にアメリカが口出しするのはけしからん、とする

〝アラブの理論〟を前面に押し出すことも間違ってはいまい。

おそらく、イラクの将兵のなかには、〝聖戦〟を信じて闘った者は多くいたであろう。かつての中国侵略や「満州国」建設を〝大東亜共栄圏〟の理想の実現と信じた、大日本帝国の一部軍人がいたように——。

だが、いかなる理論が存在し、それが一国の大思潮を形成していようとも、国家の経済力、軍事力の隔絶した状況（弱小国）下では、おいそれと自己主張は（大国に）通用しない。むろん、この図式には背後の力——支援者、同盟者などの心理も含まれる。

湾岸戦争の最中も、アメリカが撤退した〝ベトナム戦争〟がよく話題になった。

だが、当時は東西冷戦構造が背景にあり、アメリカを盟主とする資本主義経済体制の諸国と、旧ソ連を中核とする社会主義計画経済体制の国々が、各々の陣営を堅固に守っていた。

その東西均衡の状況は、旧ソ連・東欧諸国の経済的破綻によって、一挙に崩れ去った。この変革——筆者は「欧州複合革命」と呼んでいる——を根底にすえるのでなければ、同時進行の歴史の真実は見えてこない。

フセイン大統領敗退——さらには、十二年後のイラク戦争と彼の死刑——の原因も、つまるところ国力＝経済力、軍事力と国際情勢の読み違いにあったといえよう。

三つの意外

――興味深い、記事がある。

ソ連の特使としてイラクを何度か訪問したプリマコフ氏によると、フセイン大統領は開戦直前に、「自分にとって意外であったことが三つある」ともらしたというのだ。

一、アメリカの迅速かつ大規模な（軍事力）の派遣

二、アラブ諸国の親米的態度

三、ソ連（当時）のアメリカ追随

この裏を返せば、フセイン大統領の戦略は明らかとなる。

冷戦構造下、パレスチナ問題で反イスラエルの立場を共有した中東アラブ諸国は、その背後にあるアメリカに、当然のことながら反感を抱いていた。イラクがクウェートを軍事侵略しても、〝アラブの大義〟を掲げれば、エジプトやシリアはイラクを非難しつつも、同情的参戦、悪くてもアメリカには非協力、中立的立場をとるものと予想した。

さらに、最大の頼みがソ連であったろう。

イラクとソ連の誼(よしみ)は古い。アメリカがイランのパーレビ王制を支援したのに対抗して、ソ連はイラクに大量の兵器・弾薬を輸出、軍事顧問団まで派遣していた。イラクはウンムカスル港を、ソ連海軍に基地として提供している。

ソ連はインド洋を遊弋しつつ、多くの面でイラクの保護者をもって任じてきた。クウェート侵略時においてすら、イラクを中東の橋頭堡とするソ連軍事顧問団は、三千人余をイラク国内に駐留させている。フセイン大統領とすれば、明確なイラク支援とまではいかずとも、平和的解決を国連の場で提唱し、イラクに時間的余裕を与えるくらいのことは、してくれるに相違ない、と思っていたのであろう。

だが、こうした目算はものの見事にハズレてしまった。

「意外であった」

フセイン大統領と同様に、呆然自失した敗軍の将——同様の心理状態にあった——は歴史上に少なくない。

例をわが国の歴史に求めると、江戸・不忍池畔、上野の彰義隊戦争——この幕末の湾岸戦争ともいうべき一戦を指揮した、敗将・天野八郎もそのひとりであったろう。

九月に「明治」と改元される一八六八年の旧暦五月十五日、二十一藩計一万二千の多国籍軍ならぬ多藩籍軍＝官軍を相手に、開戦の火ぶたを切った彰義隊——。

その実質的な指導者であった頭並（副将）天野八郎は、開戦直前まで、己れの勝利を信じて疑わなかった。少し脇道に、それることを許されたい。

周知のごとく、明治維新は江戸幕府の十五代将軍・徳川慶喜の大政奉還と、それに続く王政復古の大号令で、一応の新体制は成った。

だが、鳥羽・伏見の戦いを境に、徳川家に対する「官位褫奪」と「領地没収」が決定されると、これを不服とする不穏分子（中心は幕臣）が彰義隊を結成する。

当初、彰義隊は江戸市中の治安維持を任された自衛組織であったが、官軍の江戸包囲、開城の過程で先鋭化し、果ては官軍を打ち負かして、徳川幕府を再興しよう、と考えるまでに増長した。

「徳川恩顧の旧臣は、あげて上野に参集すべし」

上野の寛永寺を拠点に、天野は大義名分を掲げて大々的に隊士の勧誘をおこなう。

隊士は佐幕派諸藩の藩士、十代の血気盛んな少年をも加えて、瞬く間に三千人を超える一大勢力となった。朝廷や徳川家からは、上野の不法占拠をすみやかにやめ、隊を解散するよう再三の使者が派遣され、幕府の終戦処理内閣を預かる勝海舟も手紙を書き、山岡鉄舟も説得に自ら山門へ出向いている。

しかし、多藩籍軍の官軍をあくまで認めようとしない彰義隊は、日々、官軍との小競り合いを繰り返した。このままでは江戸開城の意義も、ひいては王政復古の実も示せない、と判断した官軍は、即戦論者の長州藩士・大村益次郎を司令官に任命する。

大村は江戸到着後、しばらく状況を傍観していたが、やがて宣戦を布告した。

「五月十四日までに、上野からの撤退なき場合は、翌十五日をもって総攻撃となす」

いうまでもなく、彰義隊はこれを無視する。天野には確たる勝算があった。しょせん、敵の官軍は各藩寄せ集めの軍勢である。十五日決戦とはいえ、即日、総攻撃はできまい。各々の部署を固め、一斉攻撃に移るには数日を要するであろう。

この間、上野の山を持ちこたえればよかった。

夜半、闇に乗じて江戸市中に火を放ち、官軍に奇襲戦を挑めば、地理に明るい彰義隊は有利に戦いをすすめられるはずである。今日残されている聞き書きなどには、天野の強気を伝えるものが少なくなかった。

「旧幕海軍の艦隊は品川沖にあり、江戸を脱走した旧幕陸軍は北関東で交戦中——」

そうした伝令も届いていた。

官軍の中には旧幕時代の親藩、譜代といった徳川贔屓（びいき）・恩顧の大名も少なくない。薩摩（さつま）・長州両藩主導の陣営にあるものの、当初から洞ヶ峠（ほらがとうげ）（日和見（ひよりみ））をきめこんでいる藩も多いはず。もしかすると、寝返る藩が出るかもしれない。

独裁者の錯覚

上野での籠城がつづけば、立場上、旧主の徳川家が仲介役となって、朝廷（新政府）と交渉し、しかるべき名分のもとに停戦が実現するであろう。万一、徳川家が乗り出すことがなくとも、東日本の佐幕派諸藩が手を拱いているはずがない。

彰義隊を事実上、動かしている天野八郎の判断は、まさしく湾岸戦争におけるイラク＝フセイン大統領の理論そのものであった。

多国籍軍を官軍、アラブ諸国を官軍の中の佐幕派諸藩、旧ソ連を徳川家ないしは東日本の諸藩と置き換えるとわかりやすい。

上野彰義隊は、イラク軍と同様の運命をたどる。案に相違して火器に勝る官軍は、予定通りに総攻撃を開始。一日（夕方まで）に彰義隊を壊滅した。

大村益次郎の戦術は、徹底していた。激戦が予想される重要拠点には、官軍の主力・薩摩藩と長州藩を担当させ、各藩の分担もその能力・兵数などを冷静に読み、寝返る可能性のある藩には、極力無難な後方の、橋の警備や火災に備えての用水番などをあてがった。

しかも、あとで知られたことだが、大村は開戦前、比較的早い時期から間諜を上野山内に潜入させ、彰義隊の動きを探るとともに、内通者の発掘にも金品を惜しまず、周到な手を打っていた。

大村はまさしく、イラクにおけるアメリカであったといっていい。

天野八郎の誤算は、フセイン大統領となんら変わることがなかった。

一言でいえば、二人はともに〝独裁者〟が犯しやすい錯覚に陥ってしまったのである。

——サダム・フセインという、悪の枢軸として処刑された指導者の名には、いささか皮肉っぽい機知が感じられてならない。

むろん、かつての湾岸戦争という忌まわしい国際紛争と現在のイラク情勢が、できればウィットに富んだ冗談であった、と思いたい願望からの発想だが、このときの中東での惨禍はけっして冗談ごとではすまされない。

「サダム」（叛逆者の意）を冠したこのイラクの元大統領は、機知の感覚やそれに類する感情などは有さず、およそ冗談の通じるような人間ではなかった。アラビアン・ナイトの油商人に似ている。口八丁手八丁で、懸命に己れの商い（政治）のために専念しただけの人物であった。

サダム・フセインが故国イラクを、滅亡の淵にまで追いつめたことは、世界中がよく知っている。と同時に、このフセイン大統領をナチス・ドイツのアドルフ・ヒトラー、イタリーのファシスト、ベニート・ムッソリーニなどと重ね合わせた読者も、結構いたのではあるまいか。

無理もない。彼らには、明確に共通するものがあった。

一国のあらゆる法的機能を独占・占有し、己れの言辞や行動、判断がそのつど、祖国を危うくしているにもかかわらず、その実、彼らは自身の言動が亡国に繋がる道を歩んでいるとは、夢にも思わなかった。

「大姦は忠に似たり、大詐は信に似たり」（曾先之著『十八史略』）

一見したところ、大悪人は忠義の人に似ていて、大詐欺師はまた、信義ある者に似ている、との格言だが、他人が見てではなく、当人が正義を信じて疑わぬとあれば、しかもそれが一国の支配者である場合、「仕方ない」ではとうていすまされない。

古代の中国では、そうしたどうしようもない人々を指して、「佞」と呼び、日頃から細心の注意を怠らなかった。孔子の『論語』には頻繁に、この「佞」が登場する。

「焉んぞ佞を用いん」（どうして口達者な人が必要であろうか。人物の第一条件は佞ではなくて、真実の実行なのだ）

「佞人殆うし」（内に不正な心を抱いて口先がうまく、こびへつらう者は、いつか人心を腐蝕して国を危うくするものだ）

佞は弁才の徒であり、一面、「利口」とも解された。

「利口の邦家を覆すを悪む」（『論語』）

言葉巧みに善言をならべて、いかにも有徳の者らしく装い、国民の知らぬ間に国家の存続を危うくする者がある、と孔子は指摘し、

「わたしのもっとも憎むところである」

と厳しく断じた。

つまり、「利口」そうに見えてカリスマ性の強いのは、要注意ということであろう。

また、「佞」の者には共通する原体験があった。

貧困、家庭不和、反抗心や社会への敵対心などに潜む諸々の被害者意識であり、ときにはそれらが、強迫観念にまで高められることも珍しくはなかった。

ただ、被害者意識だけなら、普通一般の人間も持つ。が、彼らの懸絶して異なるところは、己れにたいする自信の度がきわめて強く、常人では耐えられないような状況の下でも、自己への崇拝心や矜持（きょうじ）を捨てず、あるいは曲げたりすることがない、という点だ。

ときに目も眩（くら）むような危難、逆境に遭遇しようとも、彼らは歩を緩めず、「大義名分」を盾にかざして凌（しの）ぎきる。そのうちにカリスマ性が肥大化し、「大義名分」を自己の主義・主張と混同・錯乱して、ついには、とんでもない大事をしでかすのであった。

「精神病質者」

とまで、かつてエジプトのムバラク大統領に罵倒されたフセイン・イラク元大統領の前半生を見れば、このことは理解しやすいであろう。

サダム・フセインは父親の愛情を知らず、しかも継父とは打ち解けぬまま、叔父タルフアーフのもとで成長した。

タルファーフはヒトラーを尊敬し、いわば国内を親ナチ政変によって変革しようとする運動を、支援するような人物であったらしい。

大英帝国を生涯のろい続け、その植民地であったイラクを嘆いた。フセインはもの心つく頃から被害者意識を身につけ、歳を重ねるにしたがって不平・不満を蓄積していく。

――だから、フセインは可哀想な男なのだ。

とは思わない。

当時なら、無数ともいえる〝小サダム〟は、イラク内に充満していたはずである。

フセインの学友たちのなかには、政府や軍関係者となったり、言論界や財界に進んでいった小サダム、小フセインはいくらでもいたに違いない。

ついでのことながら、ひところ流行した「精神歴史学（サイコヒストリー）」と称するもので、フセイン元大統領に言及したものを一読したことがある。

フセイン個人の精神病理の分析に重きをおき、彼が大衆とどのように関わったか、そのときの社会状況や文化の動向はどうであったか、といった研究をなおざりにしているのには唖然とさせられた。

それでいて、安直な未来予測に汲々（きゅうきゅう）とするのは、笑止千万というものであったろう。

筆者の学生時代の恩師のひとり、小田丙午郎（おだへいごろう）・京都大学名誉教授の言によれば、「ドイツの歴史学者で、『歴史的思考学入門』の著者でもあるカール・ラムプレヒトが、心理学者ヴントに影響されて展開した心理学的な歴史学が、その最初であろう」ということであった。

筆者も付け焼き刃で勉強したこの分野を、歴史学では「歴史心理学」（Historical psychology）と呼称してきた。前述の「心理歴史学」（Psychohistory）と、どのように相違するのだろうか、今もって不思議でならない。

独裁者＝「佞的人物」

さて、「歴史心理学」では、先の「佞」的人物をおよそ次のごとく定義づけている。

一、自己に向けられる評価に過敏であること
二、自信過剰であること
三、ロマンチストであること
四、権力志向が強いこと
五、自己の目的達成のためには、手段を選ばないこと

六、喜怒哀楽の表現が激しいこと

こうした分類は別段、心理学の手法を借りずとも、対象となる人物の言動を注意深く観察しさえすれば、おのずと明らかになるものだ。

加えて、フセイン元大統領や「独裁者」の先輩ともいうべきヒトラー、ムッソリーニなどには、切迫した〝強迫観念〟が横溢（おういつ）していた。

フセイン元大統領の場合、十代後半から政治運動に積極的に参加。二十代のはじめにはすでに、その負けじ魂でもって頭角を現わしていたという。三十代で国家の要職に就くと、四十代にしてはやくも大統領に登りつめていた。

この間、フセイン元大統領はつねに生命（いのち）の危険と隣り合わせであったし、宿敵（ライバル）を打ち倒すには忍耐をもって、慎重に、それでいて明白な目的意識を保持し続けねばならなかった。周到な計画性と確実性に富んだ実行力、強靱な意志も不可欠であったろう。

こうした型（タイプ）の人物は、往々、規模（スケール）を変え、環境を別にして、今日でも少なからず見かけられる。

だが、おおむね性質が粘着質な分だけ神経質で、猜疑心、嫉妬心も強いものだ。

「勇猛果敢で戦争も恐れないのに、自宅ではゴキブリを極度に嫌った」

といった内容の挿話が、フセイン元大統領の、家事手伝いの人によって紹介されていたが、たぶんこれは事実であろう。

この種のエピソードは、ヒトラーやムッソリーニらにも残されている。

独裁者の心理

ゴキブリであれば、笑ってすませることもできようが、過度の神経質、猜疑心、嫉妬心が他の人間に向けられてはたまらない。

フセイン元大統領にかぎらず、強大な権力を掌握するばかりか、恒久的に維持しようとする独裁者＝「佞」は、己れの保身のためには政敵（あるいは被疑者）はもとより、ときには身内の者でさえ、なんの躊躇（ちゅうちょ）もなく葬り、捨て去る。

政治的生命を奪うだけならまだしも、彼らは良心の呵責（かしゃく）もなしに殺戮（さつりく）を繰り返し、その後ろめたさを「大義名分」にすりかえて、ごまかそうとする。

これはわが国における――世界史からは、きわめてわずかでしかないが――かつての独裁者たちにも、同様の心理が働いていた。

たとえば、戦国時代の覇者である織田信長、豊臣秀吉、徳川家康、皆然（しか）りである。

信長は家督相続がすむと、親族を相次いで討滅。実弟・勘十郎信行（かんじゅうろうのぶゆき）（信勝（のぶかつ））と、その家臣団をも誅殺した。妹であるお市の子も、父が滅ぼした北近江の浅井長政であることを理由に、男子は処刑に処している。〝天下布武〟の途次、些細な事柄に難癖をつけては佐久間信盛(さくまのぶもり)をはじめ有力な家臣を追放、成敗した。こうしたあまりの恐怖政治の重圧が、重臣の荒木村重(あらきむらしげ)、明智光秀らの謀叛を誘ったのは周知の通りである。

比較的に印象(イメージ)としては明るい方の秀吉にしても、その権力闘争、権力保持にかける執着心は凄まじいものがあった。以前の織田家における先輩・柴田勝家、佐々成政(さっさなりまさ)を誅し、旧主信長の三男・信孝を切腹に追い込み、ついに天下人の座を獲得している。

また、あきらめていた実子秀頼が生まれると、それまで関白に就かせていた甥で養子の秀次(ひでつぐ)を高野山に幽閉。それでも飽き足らずに自刃させたばかりか、その妻妾はおろか一族郎党のことごとくを惨殺した。

家康とて、自己の保身には徹底している。

信長に武田家との内通を疑われると、妻＝正室・築山殿(つきやまどの)を殺害し、築山殿の生んだ嫡子・信康(のぶやす)を切腹させ、天下取りの過程で散々利用した豊臣恩顧の大名たちを、ひとたび天下を掌中にするや、次々に口実を設けては改易(かいえき)、幽閉に追いやった。

すでに反抗心もなくなっていた秀吉の遺児・秀頼を、大坂城に攻め殺して、なんらの感慨ももたなかったのは、よく知られているところだ。

「天下を統一し、泰平の世を創る――」

大義名分が、すべての「佞」の所業を消し去った。

明の洪自誠の著書『菜根譚』に、次のような一節がある。

「得るを貪る者は、金を分つも玉を得ざるを恨み、公に封ぜらるるも侯を受けざるを怨みて、権豪も自ら乞丐に甘んず」

どこまでも貪欲な人間は、たとえば金を分ち与えても、次には玉を貰わなかったことを恨み、公爵の位を授かると、領地を有する諸侯に任ぜられなかったことを恨む。したがって、いかに権力を誇り、豪奢な生活に明け暮れようとも、そうした人間の根性はまるで乞食にもひとしいものだ、との意である。

権力欲に際限はなく、独裁者の満足にも切りがない。

「敖りは長すべからず。欲は従にすべからず」

儒教の教典の一・『礼記』(『詩経』『書経』『易経』『春秋』とともに「五経」に数えられている)は、いずれも〝欲〟はほどよく抑制しなければ、無限に拡大されていくばかりで、やがては身をあやまることになる、と忠告している。

トマス・ジェファーソンの有名な言葉に、「権力は腐敗する」というのがあったが、その真理は権力者は傲慢になり増長し、私利私欲に走ることを意味していた。

一国であれ、一企業であっても、独裁者が出現すれば、その組織体は好むと好まざるとにかかわらず、自滅の途（みち）を歩むことになる。残念ながら、歴史上に例外はない。

——独裁者はなぜ、滅びるのか。

歴史上の事例によるかぎり、強迫観念や被害妄想を自己内部で増幅させてしまうことが、権力を行使しての大弾圧となり、哀れにも惨めな末路に繋がるようである。

フセイン元大統領も、身の安全に留意しなければならなかったのは当然ながら、大統領としての地位にとどまるには、イラクの国力をより高める必要があった。

国民生活を強引なまでに統制し、イラン・クウェートなどに、隙あらば侵略すべく虎視（こし）眈々（たんたん）と機会をうかがった。存外、触れられていないことだが、フセイン元大統領は自国の対外債務を、病的なまでに気にしていた、との証言もある。

すでに見た湾岸戦争においても、債務の棒引きを執拗に迫り、最終段階においての、撤兵条件にまで織り込んでいたことは記憶に新しい。

以前、フセイン元大統領がクウェートに突きつけたのも、負債の帳消し、石油の減産、ルマイラ油田やブビヤン島の割譲といった、イラクの国力増強に直接的に関わる事項ばかりであった。

問題はこれら一連の要求が、いかに理不尽かつ非常識極まるものであるかを、フセイン元大統領や多数派のイラク国民は感じとるだけの理性を、すでに喪失してしまっていた点である。狂気に走った、と言い換えてもよい。

狂気が裁かれるとき

『韓非子』の言葉を借りれば、次のようになる。

「世に三亡あり。乱を以て治を攻むる者は亡び、邪を以て正を攻むる者は亡び、逆を以て順を攻むる者は亡ぶ」

無理無体はしょせん、通用しない。

己れに都合よく理屈を寄せ集めようとも、つまるところ、第三者の賛同は得られずに、周囲ことごとくを敵にまわし、自滅してしまう。

「六国を滅ぼす者は六国なり。秦に非ず」（杜牧之『阿房宮賦』）

ドイツ第三帝国の興亡も、また然りであった。

第一次世界大戦での敗戦の後、ドイツはヴェルサイユ条約によって領土の割譲を厳しく要求され、ポーゼンと上シュレジェンをポーランドに、ザール地域は国際連盟の管理下に移された。そのほか、植民地も奪われている。

ドイツは欧州において、重要工業地帯を含め、その領土の六分の一を割譲させられ、植民地および国外の権益の一切を失い、軍備も大幅に制限されることとなった。ほかにも、千三百二十億マルクという、当時としては天文学的数字の賠償金を課せられる。

すべては、フランス、アメリカをはじめとする戦勝国側の、一方的な審議と決定ののち、ドイツに提示されたものであった。このため、ワイマール憲法下でドイツ国民は、全階層にわたって激しい忿懣(ふんまん)を引き起こしたのである。

ドイツ人の心に偏狭的、排外的な主義主張が芽萌(めば)え、その心情が国粋的感情を前面に押し出したナチス（国家社会主義ドイツ労働者党）の勃興・躍進を生み、さらにはナチスの独裁的党首ヒトラーを迎えることに繋がったのであった。

換言すれば、敗戦国ドイツの希望とヒトラーの救世主妄想がうまく一致したといってよい。この場合、ヒトラーがドイツの再興を、心から願望したか否かはさほど問題ではない。

両者が一体化しながら、早々にヒトラーがドイツを引っ張ることになった点が重要であった。さらに、無謀な多方面戦争を開始した独裁者ヒトラーに、その愚を諫(いさ)め、行動を阻止すべき挙にでる側近がいなくなっていたことを、より重大事と受けとめねばなるまい。

先にも見た通り、イラクのフセイン元大統領にも、幾多の有能なブレーンや助言者がいたはずである。そして、これら有能な存在が有効にフセイン元大統領に作用していれば、クウェート侵攻＝湾岸戦争の暴挙にもいたらなかったに相違ない。

清朝の末期、イギリスとアヘン戦争を戦った曾国藩は、世の乱れる前兆をトップの責任に搦めて、次の三つに大別した。

一、なにごとによらず、白黒がわからなくなる
二、正論が通らず、でたらめが用いられるようになる
三、問題が深刻になると、決断そのものが優柔不断となる

独裁者に歯止めが利かなくなり、その狂気が暴走するとき、もはや周囲には手がつけられなくなる。暴走を阻止するには、独裁者を権力の座から引きずり降ろし、取り除くよりほかに方法がなくなるが、そうした事態に立ちいたると、きまって、「叛逆者」が登場するのも、歴史の示すところといってよい。

この叛逆者には定まった条件がいくつかあり、その意味において、単なる抵抗運動・反乱とは、明白に一線を画していた。

一、叛逆者は上位者を倒し、それに取ってかわる意図を事前にもっている
二、叛逆者はそれ以前には、叛逆する上位者と同じ組織に属するか、同一の価値観を有

している

三、第三者が叛逆者を「裏切り者」とみなすことができる

古くは、ジュリアス・シーザー（ユリウス・カエサル）のローマ共和制の時代、ブルータス（ブルートゥス）らによる独裁者シーザーの暗殺事件が起きた。

シーザーの「ブルータス、お前もか」という名セリフとともに、今日なおよく知られている。

信長の本能寺の変、ヒトラーや東条英機暗殺未遂事件——歴史にはこうした類の挿話は、枚挙に暇がない。また、現代社会においても、記憶に残る事件は少なくなかった。

わが国の昭和の戦後経済史では、「なぜだ、なぜなんだ」と絶句して解任された百貨店のワンマン経営者がいたし、電力会社や商社など企業のトップの交代劇、取締役会を舞台にしたドラマなどにもよく似た場面があった。

ただし、叛逆者＝叛逆的行為には、なんとなく後ろめたさの残るのも事実だ。

なにぶんにも、叛逆の直前までは、独裁者の側近であったのだから無理もない。

大衆＝世論の支持・支援が得られにくいのも、そのためといえそうである。

さらには、そうした事態はいつの場合でも不意打ちであり、ある種の狡猾さのともなう

のもいただけない。

独裁者と叛逆者

歴史を紐解(ひもと)いてみると、独裁者を倒した叛逆者が、そのまま世論に容認され、居座るケースは、まずない。

〝天下布武〟の理想をかかげ、情け容赦なく天下統一に邁進し、王手と迫った主君・織田信長を、本能寺に襲撃した明智光秀——彼の場合など、謀叛を決行する旨、直前に明智家の重臣たちに打ち明けた段階で、すでに猛反対にあっている。

無理もない。少し冷静に考えれば、この企(くわだ)てがいかに無謀であるか、誰にでも判断はついた。なるほど信長を本能寺に襲うこと、その首をとることは容易かもしれない。うまくすれば、後継者の信忠も同時に殺害できる。

光秀ほどの戦術家なら、双方の兵力を比較し、よもや討ちもらすことはあるまい。

京都を占領しさえすれば、非力な朝廷は光秀に靡(なび)く。

京都を追われた将軍・足利義昭と連絡をとれば、その指揮下に入ることもできよう。

室町幕府再興をスローガンに掲げれば、京洛の人心もいちおうは納得するに違いない。

だが、織田家の各方面軍司令官たちが光秀に降参、従臣するであろうか。

羽柴秀吉は備中（現・岡山県西部）にて毛利軍と交戦中とはいえ、北陸の柴田勝家、関東の滝川一益は直ちに、「主殺し討伐」の檄を飛ばし、各々の軍勢を動かしたであろう。勝家や一益らは、織田家にあって光秀の先輩にあたる。道義的にも、集まる軍勢の数は向こうの方が多かったはずだ。

光秀につくのは、せいぜい将軍義昭と参陣不可能な毛利氏、上杉氏。ほかは細川藤孝や筒井順慶など、長年の友誼と婚姻関係にある者が参加してくれる程度でしかあるまい。大坂で兵を集結中の信長の三男・織田信孝も、信長の正統な後継者を名乗って反撃してこようし、織田家長年の同盟者である徳川家康も、滞在中の堺を無事脱出することができれば、やがて弔い合戦の名目で大軍を発してこよう。

これは結果論ではない。あくまで本能寺の変の時点における、全国の展望である。天下の四方から光秀討伐の軍勢が起こり、それを一手で防がねばならない光秀は、いかに秀れた戦術家であろうと、一戦、二戦の勝利は請け負えても、最終的勝者とはなりえない。

光秀もそうした未来図は承知していた、との説がある。

婿の弥平次秀満（左馬助光春）や斎藤内蔵助利三（春日局の父）らを呼び、信長に対する遺恨の次第を訴えるとともに、

「老後の思ひ出に一夜なりとも天下の思ひ出をなすべし」（『川角太閤記』）

と同意を求めた。

いったん口にしたうえは、決行するしかない、と重臣たちを説き伏せたとも。彼ら重臣たちは、光秀の言葉にしたがい、本能寺へ殺到した。

通史では、六月二日午前六時頃、信長は寺の表の騒がしさに目を覚ましたとある。最初、喧嘩でもはじまったのかと思ったらしいが、やがて鬨の声が上がり、鉄砲の音が聞こえてきた。

「是は謀叛か、如何なる者の企ぞ」

信長の疑問に、次室で宿直をしていた森蘭丸（森可成の次男）が物見に出、馳せ戻り、

「明智が者と見え申候」

と言上した。聞くなり信長はただ一言、

「是非におよばず」

とのみ述べた。

そして信長は、表御堂に駆け出し、自ら防戦に参加する。

はじめは弓を射たが、無念にも弓弦が切れた。そこで今度は鑓をとって戦ったが、肘に鎗疵をうけて、ついに働けなくなる。御殿内に退いた信長は、

「女はくるしからず、急ぎ罷り出よ」

婦女子を脱出させるゆとりをみせ、火を発して燃えさかる殿中深くへわけ入り、内側から納戸の戸口を閉ざし、さらに障子をつめ、室内に座り込んだ。

本能寺の異変を妙覚寺（現・京都市上京区）で知った信忠は、父の救出に向かったものの、途中、落去したことを村井貞勝から聞き、手勢をつれてすぐ近くの押小路室町の二条御所（二条新御所）に移った。

二条御所には誠仁親王（正親町天皇の第一皇子）があったが、信忠は包囲軍の光秀に了承をもとめ、親王を落してのち、奮戦し、午前十時ごろ、ついに力尽きて自刃して果てた。

そのあと、御所を火炎がおおった。本能寺の変では多くの織田家家臣が、本能寺、二条御所に分かれて華々しい討死を遂げている。

――独裁者は死に、叛逆者は天下を取った。

この『信長公記』（太田牛一著）を中心として伝えられてきた通史には疑問点が多い。が、ここではテーマが異なるため置く。

叛逆者の心理

さて、叛逆者の心理である。

光秀は天下を取った。しかし、信長の首級（しるし）を手にすることができなかった。
このことは、彼の〝三日天下〟（実際は十一日間）を決定的にしたといってよい。

「信長公は生きている」

との流言（るげん）が飛び交い、光秀はこれに悩まされることとなる。

そして、備中高松城（現・岡山県岡山市北区）を攻めて苦戦していると思い込んでいた秀吉が、信じられない素早さで山陽道を駆けのぼり、〝中国大返し〟をやってのけたのにも応対できず、完全に秀吉への反撃に出遅れてしまった。

（まさか、信長が生きている……、そんな馬鹿な……）

光秀は完璧に信長を葬った。が、叛臣という立場に立たされたことにより、その精神はいやがうえにも有形・無形の圧迫を受けた。心労に心労が重なる。

山崎の合戦では、秀吉軍三万二千余、自軍一万数千で戦い、敗れ、天正十年（一五八二）六月十三日、光秀は潰走（かいそう）の途中、薮（やぶ）の中に潜んでいた土民に竹鎗でつかれ、あえない最期を遂げた。享年は一説に五十五という（異説多し）。

明智光秀の謀叛については、従来、諸説がある。が、筆者は最大の要因は信長への不信と、光秀の過労が原因の根本にあったのではないか、と考えてきた。

一つの画期（エポック）は、武田氏滅亡後の宴（うたげ）の最中、光秀が、

「これでわれらも、骨を折ってきたかいがありました」

と言ったところ、信長が突然、怒り出し、光秀に打擲を加えるという出来事があった。あのとき光秀は己れが考えてきた新しい国家像と、信長の描くものが、大きく隔たっていることに、気がついたのではあるまいか。

天下統一、泰平の世の招来――それを目指して己れも参画してきた、と自負してきた光秀が、実は主君信長の道具の一つとしてしか評価されていない――そのことを知った。

加えて、情け容赦のない信長は、朝廷をもついには滅ぼすのではないか。この朝廷云々は、おそらく自己保身を正当化するために、光秀がもち込んだ言い訳であったろう。疲れ切った頭の中で、光秀は己れの行く末を考えたはずだ。おりわるく、佐久間信盛らの追放もおこなわれている。九州征伐まではよいとして、その先、己れはどうなるのか。

光秀には秀吉のように、謙って生き抜く気力が、すでに失せていた。

そこへ今度は、一説によると、これまでの領土である坂本城や丹波を召しあげられ、まだ織田領となっていない出雲（現・島根県東部）、石見（現・同県西部）を与える、との信長の命令が届いたという。

室町幕府のような守護を否定し、近代国家に近い官僚制の、全国統治を信長が考えていたとすれば、光秀の〝未来〟はもはや見えたようなものであった。

酷使されたあげく、あとは難癖をつけられてポイッと捨てられる。

苦悩する光秀の頭には、朝廷も足利義昭も同様の悲愴感をもっていたものに映ったに違いない。これらを連携すれば、あるいは……。

いずれにせよ、光秀は天下を取った。

だが、彼の〝三日天下〟のみならず、世界史にみられる軍部に拠るクーデター政権などを思い浮かべると、正面切って反対勢力――光秀の場合、秀吉軍――が興ると、叛逆者はいたって、あっさりとその座を明け渡すもののようである。

これはクーデターを一種、卑怯、反則としてとらえる心理が、われわれの中にあるからであろう。信長の独裁は終息したが、なにも不意打ちを喰らわさなくとも……、と。

――歴史心理学は、この方面の研究においても、これから可能性をもっている。

併せて、この章の最後に強調しておきたいのは、歴史心理学に学ぶことにより、独裁者による不幸にして凄惨な事態を、事前に回避する――未然に独裁者の出現・狂気を防止することができる、という点である。

繰り返すようだが、独裁者は一日にして誕生しないし、その人物を支持する環境、数多くの協力者、スタッフなくしての登場も覚束ない。まして、存続もあり得ないはずだ。

『十八史略』によれば、

「古を以て鏡と為さば、興替を見るべし。人を以て鏡と為さば、得失を知るべし」
とある。

歴史をもって鏡とするとき、世の興廃の因果を知ることができる。人を鏡にするならば、己れの行動の正邪得失を正すことができよう、との教訓である。

要は、独裁者の登場を阻む知恵を、歴史心理学に求めることであろう。これを学ばず、その台頭を許せば、抗争や内部分裂を生じ、必ずといってよいほど国は乱れる。

このことは歴史が雄弁に物語っており、それを修復するには例外なく、自己組織（国や企業）回復のための、膨大なエネルギーを必要とすることも忘れてはなるまい。

第三章

歪(ゆが)められた結果

定説「桶狭間の戦い」

この章では、「戦術の落とし穴」について、歴史の歪曲された結果を中心にみてみたい。たとえば、桶狭間の戦い——戦国史における奇襲戦として有名であり、織田信長の代表的な戦いの一つに数えられてきた。

これまで語られてきた桶狭間の戦いの概要は、次のようなものだった。

前提は東海一の覇王・今川義元の上洛戦——永禄三年（一五六〇）五月十九日朝、鷲津・丸根の両砦（現・愛知県名古屋市緑区）に、今川の軍勢が攻め掛ったとの知らせを聞いた信長は、幸若舞の「敦盛」をひと差し舞い、清洲城（現・愛知県清須市）から出陣して熱田神宮（現・名古屋市熱田区）に参拝。ここで軍陣を整え、三千弱の兵を率いて桶狭間方面へ進んだ。

まず、鳴海城（現・名古屋市緑区鳴海町）を囲んでいた丹下砦（同）を経て、善照寺砦（同）に入っている。ここで、父・信秀の代から仕えていた沓掛村（現・愛知県豊明市）の簗田政綱が、

「沓掛城を出た今川義元どの、ただいま鎌倉往還を進んで大高城（現・名古屋市緑区大高町）に向かい、桶狭間付近にあり」との情報を、信長に伝えてくる。

信長は佐々政次、千秋季忠ら二百余をもって、鳴海方面にいた今川の前軍に攻撃をしか

けさせる陽動作戦をとり、自らは本隊を率いて大きく戦域を迂回して、今川全軍のはるか後方の桶狭間をめざした。

途中、再び政綱から、「敵は田楽狭間にて昼食中」との情報がもたらされる。

信長は、従う将兵に厳命した。

「めざすは、義元の首ただ一つ——」

そのとき突然、豪雨が降りはじめ、信長軍をすっぽりと暗闇に包み込む。

その頃、窪地の田楽狭間では、今川義元がわずか三百の旗本に守られながら休息をとっていた。緒戦に勝った今川軍は、地元の領民が差し入れた酒肴で宴会を催していたのである。『武功夜話』では、酒肴を差し入れたのは、農民に化けた蜂須賀小六（正勝）の一党ということになっているが……。

そこへ、約二千の信長勢が傾込んできた。

義元は、まず織田家の服部小平太に一番槍をつけられ、毛利新介に首をはねられた——というのが戦国史上屈指の、この一戦の概要であった。

だが現在では、こうした通史・定説を否定する見解が出ている。

たとえば、桶狭間の戦いは奇襲でもなんでもなく、合戦の場所も桶狭間や田楽狭間ではなくて、『信長公記』にある通り「桶狭間山」が正しいというのだ。

また、善照寺砦まで軍を進めた信長は、陽動作戦をとって、みずから迂回作戦に出たのではなく、そのまま雨の中を中島砦（現・名古屋市緑区）に入ったというのだ。

『信長公記』に拠れば、中島砦に向かおうとする信長に、家老衆は馬のくつわに取りついて、

「中島への道は脇が深田で足をとられ、一騎ずつの縦隊でしか進めず、少人数の様が敵から丸見えです」

と口々に止めたものの、信長はそれをふりきって移動したとある。

さらに軍を進めようとする信長を、家臣が止めたところ、

「敵は前夜からの兵糧入れや鷲津・丸根砦攻めで疲れている。しかし、こちらは新手だ。どんどん斬り捨てろ」

「敵から丸見えです」

と正面攻撃を命令している。

と『信長公記』にあるが、窪地の田楽狭間にいる義元から信長が見えるはずがない。見えるとすれば、「桶狭間山」に陣があって、上から下を見下ろさねばならなかった。

『信長公記』に書かれている記述が、脚色されて現在の〝定説〟を作ってしまったように思われる。

桶狭間の戦い——織田軍vs今川軍

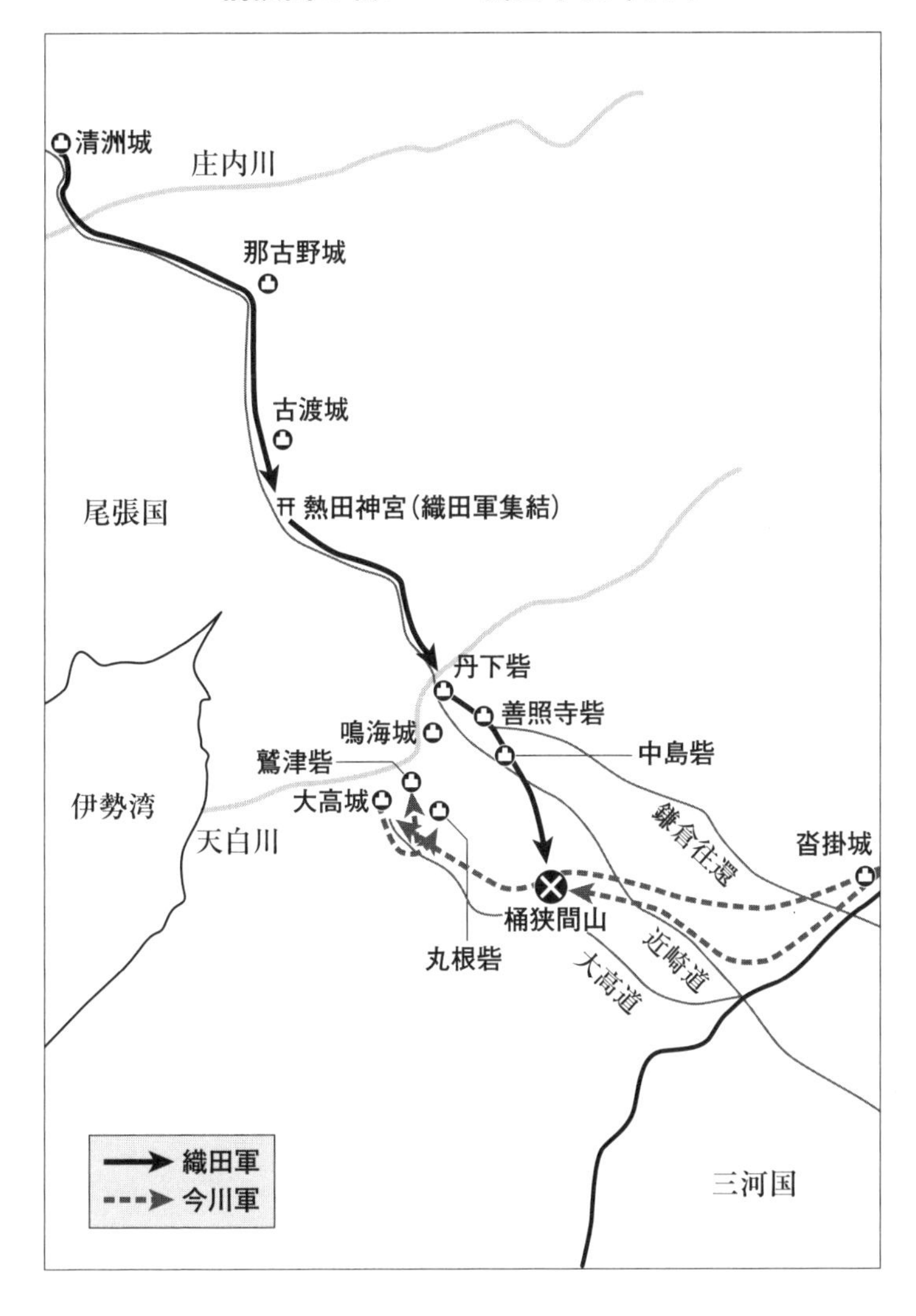

また、『信長公記』には一言も、義元の首を討てとは出てこない。この点も気にかかった。疑えば切りがないが、本当に信長は当初から、義元の首を狙っていたのだろうか。義元の本陣「桶狭間山」を突くことで、今川軍全体を混乱させ、その動きを止めようとしたのが、結果として運よく敵将の首級を得るという大勝利に結びついた、と考えられはしまいか。加えて、今一つ――。

義元のこの一挙は、本当に上洛を目指してのものであったのだろうか。これは過去に拙著『武田信玄と無敵軍団』（講談社）ほかでも述べたことだが、信玄の上洛についても、三河の領内一部を取り込むための出陣であった可能性がなくはなかった。

ならばこのことは、義元にも当て嵌（は）まりはしまいか。

信長を倒しても、その先には美濃の斎藤氏、北近江の浅井氏、南近江の六角氏がいる。義元は事前に、彼らに対して根回しをしていたのだろうか。

のちの信長がおこなう上洛戦を見ても、今川勢の進軍がそのまま京都まで、一気にたどり着くことを目標としたものであるとすれば、いささか思慮の足りない、無茶なものであったように思われるのだが。

信長を降参させ、松平元康（まつだいらもとやす）（のちの徳川家康）と同様に己れの傘下に組み込み、尾張の併合を最大の目的としていた。上洛戦は次の課題であった、と見る方が、現実的だとも思うのだが、読者はいかがであろうか。

信長の首は落ちていた

――歴史の歪められた結末は、実はここからである。

一言でいえば、

「信長は桶狭間で勝ったのか？」

との問いかけだ。

筆者はもし、今川義元の後継者・氏真(うじざね)がごくごく普通の人＝凡庸(ぼんよう)（すぐれた点のない平凡な人）であっても、信長の首は一カ月後には落ちていた、と考えてきた。

戦いは常に大きい力、強い方にしか主導権がない。

小さい者、弱い者には自決権以外、何も与えられないのが〝歴史〟の真実である。

桶狭間の戦いは終始、今川義元に決定権があり、信長は受け身とならざるを得なかった。

が、〝天祐(てんゆう)〟ともいうべき義元の横死(おうし)で、信長は窮地を脱出した。

では、この一件はこれで終わったのであろうか。筆者は普通に考えて終わるはずはなかった、と予想する。なぜなら、氏真にすれば父の仇討ちをして、信長の首をその墓前に手向(たむ)ける以外に、己れが今川家の後継者として立ちゆく道はなかった、と思うからだ。

この場合、氏真に将器がなくとも、当時の今川家の家臣団は日本一(ひのもと)の兵(つわもの)集団である。

「父の無念を晴らす」

と氏真が宣言すれば、一カ月後には再戦がおこなわれたであろう。

この場合、今川家の動員兵力は最大で五万近くに膨れ上がる可能性もあった。

この人数をもって、尾張へ侵攻した場合、信長はどう対処できたであろうか。

奇襲戦の入り込む余地はない――。

あらゆる道、川筋、海はことごとく今川勢によって覆いつくされ、彼ら五万近くが粛々と攻めてきたならば、おそらく信長に与えられた対処法は二つしかなかったはずだ。

清洲城に立籠(たてこも)って玉砕するか、美濃の土岐氏のように国境線を越えて逃亡し、社会的使命を終えたか、二つに一つではなかったろうか。

しかし、信長の首は挙げられず、彼は逃亡もしていない。ならばこの場合、信長は何か卓越した戦略・戦術を発揮したのだろうか。

そうではなかった。すべての決定権者となった氏真という人物が、父の跡を継いで領国経営に勤(いそ)しむ気力をもたず、好きな蹴鞠(けまり)の世界で生きることを主張したために、家中の空中分裂を引き起こし、東半分を武田氏に、西半分を徳川家に奪われて、戦国大名としての今川家は、この世から消えてしまったのだ。敵失(てきしつ)であった。

くり返すが、信長は桶狭間の戦いで勝ったのではない。勝ちを拾った、と考えるべきだ。ところが、この国の歴史には、この発想＝常識がこれまでになかった。

信長の人気を裏付けるものとして、桶狭間の戦いは今も語り継がれ、日本人好みの「小よく大を制す」の幻想を、二十一世紀に入ってなお、抱きつづけていることに繋がっていた。

結果、日本人に飛躍的思考を蔓延させ、直感的な結論を急がせる、単純な人間を量産することにも繋がってしまった。

もうそろそろ、歪められた歴史の結末を勇気をもって訂正し、論理的な仮説を論争する作業をおこなうべきではあるまいか。

得手(えて)、不得手(ふえて)

人間は往々にして、成功の類型(パターン)からは逃れられない。

たとえば、一人の武将が奇襲戦を敢行して、それによって敵の大軍を破ったとする。

多くの場合、この奇襲戦がその武将の成功の見本となり、〝いざ鎌倉〟の重大な局面には、かならずといっていいほど、決戦形式として使用されるものだ。

豊臣秀吉は木下藤吉郎(きのしたとうきちろう)時代、墨俣築城で売り出し、北近江の浅井長政と対峙したのも横山城（現・滋賀県長浜市）。信長の中国方面軍司令官に任じられて西へ遠征してからも、大半の敵地で城攻めをおこなっている。

なかには、わざわざ城攻めにしなくともよさそうな敵に対しても、かならずといっていいほど、秀吉は四方を囲んで攻城戦にもち込んだ。

これはさらに詳細を見ていくと、秀吉の出世の源が、調略によって敵将を寝返らせるという手法をもちいたことと、密接な関係があったろう。

一方、徳川家康はどうかといえば、心密かにその師と仰いだ武田信玄にも言えることだが、この二人は揃って城攻めが大の苦手（にがて）であった。

――ここ一番の決戦は、ともに野戦をもちいた。

まず、関ヶ原の合戦から語らねばならない。

慶長五年（一六〇〇）九月十五日、美濃の関ヶ原においておこなわれた、戦国史上空前絶後のこの一大決戦は、東軍を率いた徳川家康が、石田三成を主将とする西軍を一挙に屠（ほふ）り、その後の日本の方向である徳川幕藩体制を、事実上、瞬時にして成立させたものとして知られている。

家康の勝因については、これまでにもいくつかの要因が論じられてきたが、なかでも主因の一つと言われるものに、決戦前夜の家康の策略が挙げられている。

前日の九月十四日の時点まで、石田三成をはじめ宇喜多秀家、小西行長ら西軍主力は、美濃大垣城（現・岐阜県大垣市）に本拠を構え、東軍との決戦に備えていた。

この地は東山道（中山道）と美濃路を結ぶ交通の要衝であり、東海道と東山道のふた手から西上してくるであろう東軍を迎え撃つには、戦略上、格好の場所であったと言われている。

大谷吉継ら友軍が待機する関ヶ原は、大垣の西方、およそ十六キロの距離でしかなかった。この時点では、西軍の方が地の利を得ていたといえる。

当然、東軍側は地の利の差をなんとか、逆転しなければならなかった。

そこで家康は、大垣城の主力をおびき出す作戦に出た。

「東軍は大垣城を無視して素通りし、まずは佐和山（三成の居城）を落とし、近江から一路、伏見、大坂を突く」

というニセ情報を、西軍陣営に流したのである。

するとどうであろう、驚いた三成は午後七時頃、秋雨をおして主力の三万余の軍勢を、密かに関ヶ原へ移動させてしまった。

大垣城を迂回してくる東軍を、関ヶ原で迎え撃つ作戦に転じたのである。

まんまと作戦どおりに三成が関ヶ原へ誘い出されたことによって、結果的に西軍は負けたのだ、とする見方は専門家のあいだに根強い。

さて、この関ヶ原の敗因と、信玄・家康の城攻めに苦手であることがどう結びつくのであろうか。実はこの関ヶ原の戦いは、武田信玄がその死の直前、原型を立案し、自ら実践していたものであった。


「まさか、そんな馬鹿な――!?」


疑問に思われる向きもあろうが、うそではない。

第一章でも言及した〝三方ヶ原の合戦〟が、信玄の死の四ヵ月前におこなわれた。

この戦いは、のちに天下人となった家康が、生涯に一度の完敗であったことを素直に認めた合戦であり、家康の率いた敗けしらずの三河軍団が、完膚なきまでに、叩きのめされた数少ない敗戦であったといえる。

元亀三年(一五七二)十月、ついに上洛を決意した信玄は、周到なプロジェクトを組んで西上作戦を展開したといわれている。京までの途中、その行く手を阻むものは織田信長とその同盟者・徳川家康の二大名だけであった(西への領土拡大策であっても、敵は二人)。

信玄は無敵の甲州軍団を率いて、進軍を開始。家康方の二俣城を攻略し、信長方の美濃岩村城を落として、計画どおりに進撃した。十二月中旬、家康の居城浜松城を目前に、甲州軍団は軍議を開いている。目前に迫った家康をどう処理すべきか、を話し合うためであった。このときに信玄のとるべき処置は、大別して二つしかない。

一つは、浜松城を包囲して持久戦にもち込む戦法。信長が反対勢力（浅井長政、朝倉義景、本願寺、松永久秀ら）に釘づけとなっている以上、城を包囲すれば必ず落とせるという考え方から出ていた。

もう一つは、浜松城を無視して西上の軍を進め、徳川氏の本拠地三河を突くという戦法だ。

家康の桶狭間

普通なら信玄は、前者を選択したに違いない。それが、戦(いくさ)の定石でもあったからだ。なのにこのとき信玄は、後者を採用している。軍議の席上、後方に浜松城を残したまま進めば、補給路が絶たれる懸念が提議されたにもかかわらず、である。

信玄は軍団に、「浜松城は捨ておき、祝田(ほうだ)、刑部(おさかべ)、井伊谷道(いいのや)（いずれも現・静岡県浜松市）を通過して、東三河に進発する」という布告を発した。

この決定を知った浜松城内では、徳川家の重臣・石川数正(いしかわかずまさ)、内藤信成(ないとうのぶなり)らが、「このうえは、敵がいかなる動きを示そうとも、味方は城門を閉じて出撃せぬことこそ肝要です。敵が通過したあと、その後方を攪乱(かくらん)するに越したことはありませぬ」

口々に進言し、家康に自重を説いている。

同盟者の信長からも、同様の趣旨をしたためた書状が届けられていた。

ところが、ひとり家康が納得しない。

「城下を通過する敵に対し、一矢も報いずに黙って見送ったとあっては、武門の名折れとなる」

瓜を噛みながら、珍しく怒りを露にし、出撃の決断を下してしまった。

おそらく若い家康の脳裏には、自分の先輩ともいうべき織田信長が、二十七歳のおりになした快挙——このたびの信玄と同じく上洛を企てた、今川義元を桶狭間に奇襲した一件が浮かんでいたのではないか。

穿った見方をすれば、

(自分は今、そのおりの信長より四歳も年長の三十一歳ではないか、信長にできて自分にできぬことはあるまい)

と思ったとしても、不思議はなかった。家康は本来、血の気の多い人物である。

慎重に物見を放ちつつ、家康は信玄の一行が〝一望千里〟といわれた三方ヶ原の台地が尽きるあたり、祝田と呼ばれる狭所で、そろって食事をとるとの知らせを聞きこむ。

三方ヶ原は浜松城の北にあって、東北から西南に横たわっている高原——ちょうど、のちの関ヶ原のミニチュアとみなしてもさしつかえはなかったろう。

家康はここぞとばかりに奮いたち、一気に甲州軍団を奇襲すべく出撃命令を下した。

しかし、実はこれこそが信玄の策略であったことが、その直後に明らかとなる。

浜松城を無視して素通りした、と見せかけて甲州軍団は、食事をとるとのニセ情報を流す一方、家康の出撃を見越して、信玄の采配一つで一糸乱れぬ臨戦態勢をとっていた。

奇襲を企てた家康は、信玄のワナにかけられ、かえって迎撃を受けるはめに陥る。

――結果は、家康の完敗であった。

徳川方はすでに落とされていた二俣城の元守将・中根正照（なかねまさてる）、青木貞治（あおきさだはる）や部将の夏目次郎左衛門吉信（なつめじろうざえもんよしのぶ）などを失い、信長からの援軍の将・平手汎秀（ひらてひろひで）（政秀の子）も戦死。死闘二時間ののち、さらに疾風のような甲州軍団の追撃を受け、最終的には一千人以上の戦死者を出している。

信玄は当初から、浜松城を放棄したまま通過するつもりはなかったようだ。

といって、城攻めは苦手である。西上を急がねば、信玄を頼って信長に叛旗を翻（ひるがえ）した〝信長包囲網〟の諸勢力が危ない。ぐずぐずしていれば、国力、火力にものをいわせた信長に、各個撃破される恐れがあった。

この状況は、ちょうど関ヶ原の合戦前夜、家康がおかれていた立場に酷似していた。

三方ヶ原の戦い——武田軍vs徳川軍

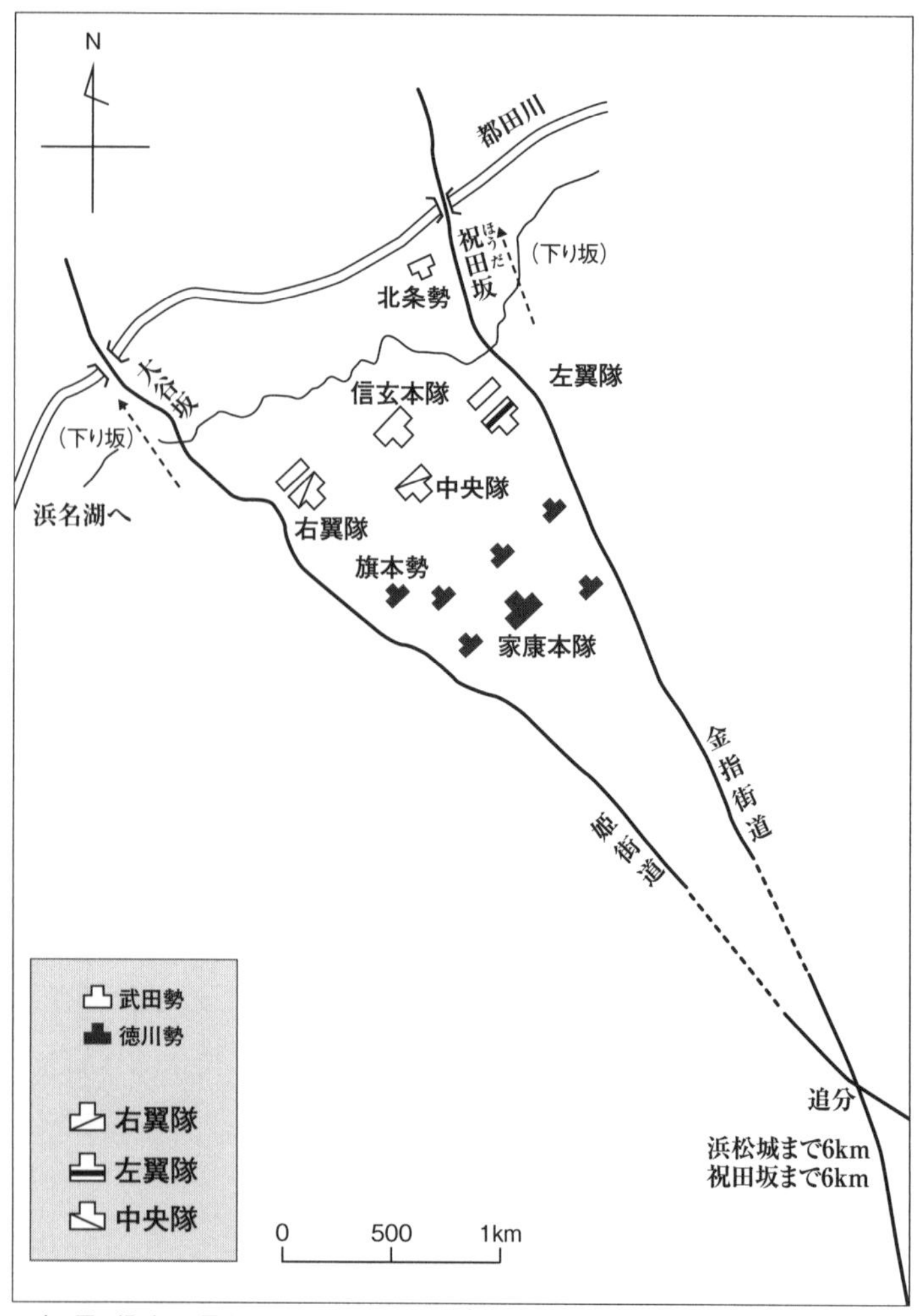

※武田軍の場所には異説あり。

西軍との対峙が長引けば、豊臣秀頼が政治的な動きを示し、味方の東軍諸将に亀裂が生じないとも限らなかった。そうなれば、万事は休する。

「勝兵は先ず勝ちて後に戦いを求め、敗兵は先ず戦いて後に勝を求む」

と言ったのは孫子だが、若き日の大敗北を教訓とした家康は、己れが信長と同じタイプの人間ではないことを思い知り、同時に、完敗した信玄に学んだのである。

家康は老練な信玄の戦法を真似ることによって、〝天下分け目〟の戦いに勝ち、ひいては天下を取ることができたといえる。三方ヶ原の戦いのおりの信玄は、五十二歳。関ヶ原の合戦のおりの家康は、五十九歳であった。

家康がいかに、三方ヶ原の合戦を教訓としたか——。

これまでいわれてきたのが、今日なお徳川美術館に残る、三方ヶ原での敗戦のあと家康が命じて描かせたとされる自画像、いわゆる「顰像」であった。

甲冑姿で床凡に腰をかけ、猛省する家康の姿が、そこにあった。

家康の非凡さは、多くの成功者が自身の敗北をひた隠しにしようとするのとは裏腹に、自らの敗北を、曲げた左足をかかえ込み、左手を顎にあてがい、意気消沈した姿に残して、失敗を肝に銘じたことにあった、とされてきた。

近年、この「顰像」は三方ヶ原とは関係なく描かれたものではないか、との疑懐（疑念）

が研究者から呈された、このとき家康が心の底から自らの性格を反省し、凡庸な自分が生き残る方法として、学びの源＝〝真似び〟を徹底して、敵の武田信玄の立ち居振る舞い、言行、戦略、戦術を徹底的にマネしたのは間違いなかった。

関ヶ原も、その一部であったわけだ。

貶められた名将・武田信虎

過去に学び得ない人に、未来を設計することはできない。

だが、逆に過去にとらわれすぎる人も、けっして過去と同じ顔をしては現れない未来に、取り組む資格をそもそも持たないのかもしれない。

おそらく当時の武将の中で、徳川家康ほどに武田信玄の凄さを、身にしみて理解した者はいなかっただろう。家康は信玄を生涯の師と仰ぎ、その強さの秘密を解こうとした。

その結果、天下を手中にしたのである。

一方、そのためであろう、名将・武田信玄は語られるほどに神格化され、その分、創作された部分が増えた。

たとえば、その出自――たしかに、甲斐の武田氏は日本有数の武門であった。

清和源氏の一流・甲斐源氏の嫡流であり、始祖の新羅三郎（源義光＝義家の弟）の子・清光のときから甲斐国に定住し、その後代々、鎌倉・室町の守護となって、国内に君臨してきた。

ところが、十四代の信昌の時代に、応仁の乱（一四六七〜七七）が勃発する。

これまでも途中、さまざまな盛衰があった武田氏だったが、それらはみな、ときの中央の権力者との確執がもたらしたもので、家運の挽回もまた、多くはときの権力者の助勢に頼ることによって可能となってきた。

けれども応仁の乱は、その中央の権力者そのものを崩壊させてしまった。

これまでのように、中央政府を頼りにできなくなったわけだ。また、それだけの実力者が中央にいなくなったことをも意味していたといえる。

守護代跡部氏の反乱を、やっとの思いで鎮圧したのも束の間、武田氏は当主信昌が打ち出した嫡子の「単独相続」をめぐって、信昌の長男・信縄と守護家の一族兄弟が争うこととなる。この争いの渦中で、生来病弱であった信縄がこの世を去り、武田家の家督はその子・信虎へ。このとき、信虎はわずかに十四歳であった。

この人物こそが、信玄の父にほかならない。

信虎の父・信縄は、一時期、自らの館を再建する力もなく、守護という名跡の武田家の宗家とはいいながら、支配地は東は万力村（現・山梨市万力）から西は川田（現・甲府市川田町）のはずれまで、直線距離にして約三里（十二キロメートル）の中だけであった。

しかも武田氏一族が、嫡子の「単独相続」をめぐり兄弟争いをしていたのは、地域で見ると甲斐国の東部の地域でしかない。

かつて「守護」の領域であったその他の地域——郡内、西郡、河内、逸見、武川筋などは、すでに武田氏の力のおよばない特殊な不干渉地帯となっていた。

そこには中立派の国人（独立豪族）たちがいて、各々力を誇示していた。

つまり、信虎が宗家を継いだ当時、すでに甲斐は一国の形を成しておらず、守護家からすればまさに累卵の危機にあった。

何をここでいいたいのか。最初にことわっておきたい。

もしも、信虎が凡庸な人物であれば、下剋上の中、武田家はここで崩壊し、次の信玄に受け継がれることはなかった、ということである。

——信虎は、戦国屈指の名将であった。

が、信玄を称賛する読みものはことごとく、この信虎を非人道的な、暴君として描いてきた。これは、信玄を引き立たせるための演出以外の、何ものでもなかったのだが。

小よく大を制す

永正五年（一五〇八）十月五日、信虎はまず策謀をたくらむ叔父たちを笛吹川の下流、曽根勝山に奇襲。相手を少年と油断していた叔父の油川信恵（のぶさと、とも）とその子二人、岩手縄満（縄義とも）などを討ち取っている。

その後、信虎は郡内（山梨県東部）を束ねる小山田弥太郎が北条早雲に加勢を求めた反乱軍を破ったのち、再建の第一歩を西郡の豪族・大井信達との和睦工作からはじめた。

信達は南北朝の頃の国主・武田信武から分かれた一族で、その勢力範囲は今や信虎の数十倍もあり、現在の甲府盆地を流れる釜無川から、盆地西端の櫛形山にいたる広域なものであった。

いわば駿河の今川氏、小田原の北条氏に準ずる実力者といえなくもない。

信虎は、この信達の娘を娶ろうとした。明白な政略結婚である。もちろん信虎の方が分はわるかった。形の上では守護大名への輿入れと見えても、実力からして武田家の実権を、実力者の信達に売りわたすに等しく周囲には見えたであろう。

信虎はそれに耐えねばならなかったが、なんとこの縁組、肝心の信達が拒絶した。

守護武田氏も舐められたものだ。信虎はくり返し信達に談合するが、先方は相手にもしない。それどころか永正十二年、信達の嫡子信業が信虎に武力をもって挑んでくる始末。

信虎は先手を打って、大井氏の本拠・上野椿城を攻めたが失敗。逆に重臣の板垣左兵衛佐（板垣信方の父）を失ってしまう。

しかも大井氏は、郡内の小山田氏と同様、他国の軍勢である駿河の今川氏親（義元の父）の兵二千五百を甲斐国へ呼び入れ、信虎とは同盟関係にあった油川氏の居城・曽根勝山城を氏親の兵に占拠させてしまう。

この史実は、いかに当時の甲斐の国人たちが、国家＝甲斐の意識に乏しかったかを物語っていた。創られた、規律正しい甲州軍団の心象にもそぐわない（同じことは、一枚岩を強調された三河武士団にもいえるが）。

このとき、今川軍は略奪暴行、虐殺をくり返したと伝えられる。

信虎はすぐさま、かき集められるだけの兵力を導入して、小山田氏とも連合、曽根勝山の今川軍を逆にかこみ、持久戦にもちこむ。

こちらも苦しいが、先方も同じ。先にあわてた方の負けとなる。信虎は十代なかばからの戦闘につぐ戦闘で、戦いについてのかけひきは生命を懸けて会得していた。

永正十四年、大井氏は連歌師の柴屋宗長を使者にたて、信虎に和議を申し込む。実質的に信虎は、甲斐国随一の権力者に勝ったことになる。

しかし信虎は、すぐには首を縦にはふらなかった。それほど今川軍の狼籍がひどかった

のである。宗長の『宇津山記』に、

「二とせ計りの程に、此の庭も山里も、かつ荒はつる心ちぞする」

とあるごとく、今川軍に踏みにじられた甲斐国は、無残な山河をさらしていた。

信虎は改めて、国内の建て直しに奔走せねばならなかったのである。

彼は大井氏を降した直後、石和の居館（現・甲府市川田町）を捨てて、現在の甲府市古府中町に〝躑躅ヶ崎の館〟を建設する。居城を移すことで甲斐武田家の人心を一新し、新しい首都に新しい軍団を育成しようとしたのであった。

信虎はこれまで漠然とつづいてきた一族の関係を、明確な主従関係へ、つまりこれまでのような横の繋がりによって、かろうじて成り立っていた甲斐の連合政体を、守護である武田家当主を頂点とした縦の集権政体に、組み替えたといえよう。

この試みは、信虎の祖父信昌が「分割相続」を「単独相続」に変更した以上に、画期的なことであった。ただし、臣従を強要された一族の側は納得しない。それでなくとも相手は、三百二十余年間、武田の宗家が住んだ石和の館を勝手に移すという信虎である。

『妙法寺記（勝山記）』には、次のようにあった。

「当国栗原殿を大将として、皆々屋形（信虎）をさみし奉りて、一家国人引退きたまう」

栗原氏は大井氏、今井氏に並ぶ甲斐の有力国人であり、彼らは一度は躑躅ヶ崎に来館し

たものの、「そのままこの地へ居を構えよ」という信虎をさみし（馬鹿にし）て、甲府から
そうそうに引き揚げたというのだ。
怒った信虎はすぐさま手勢を集め、相手方がよもやと考える間もあたえず軍を三分、三
氏を一度に奇襲。三日間で降伏させた。しかも信虎は、降伏した三人の叛将を殺すことな
く許している。それでなくとも、人手不足の甲斐国である。一将一兵たりと損いたくなか
ったのであろう。
後世に語り継がれる信虎の像と、実際の彼は大いに違っていた。
今日まで武田信玄を語る書の多くは、極端なまでに信玄びいきであり、その著者もおお
むね山梨県ゆかりの人々であった。これらの人々は信玄を美化しようとするあまり、必要
以上には歴史資料をあたらず、吟味せず、よく政権交代のおり、前政権を批難するのと同
じ論法で、信虎をただの暴君・人非人と決めつけ、述べることが多かったように思われる。
けれども信虎の実像は、真に名将の名にふさわしいものであった。
現に三日で有力国人の三氏を跪かせ、ついには大井信達からは娘を夫人に貰い、当初
の計画どおりに、不安材料は残しつつも一族の家臣団への編入を成し遂げ、甲斐国統一の
基礎を固めたのだから。

甲斐国統一の真相

大永(たいえい、とも)元年(一五二一)九月、甲斐国は未曾有の危機に直面していた。隣国駿河と遠江を領有する今川氏親の部将で、遠江土方城主・福島兵庫正成が、二ヵ国の連合軍一万五千(実数は七千程か)を率いて、突如、富士川を北上し、甲斐国へ進攻を開始したのである。

九月六日、大島(現・山梨県南巨摩郡身延町)の一戦で甲州軍は敗北。正成は同月十六日、大井氏の居城・富田城(現・山梨県南アルプス市)を占拠した。すぐさま甲斐南部を制圧。

十月十五日早朝には、府中をめざして大軍を進発させた。

ところが敵一万五千に対して、甲斐守護・武田信虎が率いる軍勢は二千(実数)にも満たない。福島の軍勢がそのまま怒濤のように、躑躅ヶ崎の館に押しよせれば、信虎はひとたまりもなく押し潰されたことであろう。

それでも、歴戦の将は慌てなかった。まず冷厳に、あくまで理づめで状況分析をおこなっている。しかも、その結果に執着したりはしなかった。

なぜならば、いくら計算してみても一万五千の敵に二千の味方では、数字上、結果は明白すぎる。問題はこの数字をまず正しく認識し、然る後にこれを有効数に仕上げることであった。経営にも数字に表われない危機があるように、合戦にも形のない勝因敗因はあるものだ。信虎は奇襲攻撃に、すべてを賭けた。

十月十六日の明け方、女性と子どもを躑躅ヶ崎の館から北東約二キロにある積翠寺を城に取り立てた要害城（要害山城）へ避難させる手だてを尽くしたうえで、信虎は自ら二千の軍勢を率いて討って出る。

翼をひろげたように、横に伸びきった敵陣へ、果敢な中央突破を試みた。

敵と遭遇するや弓を射かけ、投石をおこない、自軍の陣容を崩さず、中央部へ——。

まさに錐が切っ先を回しながら板に喰い込むように、甲州軍は今川勢を突ききった。

陣を支えることができなくなった今川勢は、ひとまず龍地台（現・山梨県甲斐市龍地）の本陣に退却したが、このときの今川勢の戦死傷者は百人を超えた、と言われている（飯田河原の合戦）。

しかし、福島正成は自軍の敗北を認めない。数をたのんで、躑躅ヶ崎の館を二方向から挟み撃ちにする作戦を立てた。

信虎はすでに、この作戦を予測していたようだ。

敵が分散したところを逆に利用し、十一月二十三日、上条河原（現・甲斐市島上条）へ駒を進め、一気に勝敗を決しようとする。

信虎に率いられた甲州軍は、甲斐国の存亡を担っているのだという緊張感があるのに対して、正成に率いられた今川勢は数をたのむあまり、今一つ熱心に戦闘をしなかった。数の上では劣勢のはずの甲州軍が善戦、戦いは互角の引き分けとなっている。

——問題は、そのあとであった。

双方の将兵が疲労しきっている深夜、信虎は決死の精鋭を募り、自らが指揮して敵の本陣を襲った。この夜襲で今川勢は、六百人以上の戦死者と四千人を上まわる負傷者を出した。しかも、総大将福島正成もこの夜襲で首級を挙げられている。敗残の今川勢は翌大永二年正月十四日、信虎に生命乞いをして、ほうほうの体で帰国している。

この「福島乱入事件」は、ひとり信虎の卓抜した将帥によって甲斐国の勝利となった。巧妙な戦陣、地形を活かした戦法、中央突破の戦術思想——どれ一つをとっても、この時代、信虎は日本でも屈指の名将であったに相違ない。

この大勝利によって、はじめて甲斐国は名実ともに統一されたといえる。

信虎追放劇と飾りの信玄

信玄は甲斐の救世主であった。が、一方では下剋上の世相の中、本来は滅びゆく運命を背負わされた、守護の当主の顔も持っていた。この複雑な立場に、後進地甲斐国の事情＝生産性の低さが加わると、歪められた結果の真実が、明らかとなる。

打ちつづく戦国乱世の中で、信虎も専属家臣団制や国人・土豪の城下町集中を考えた。だが、国人・土豪がそれを許さず、ついには今川義元のもとへ信虎を追放することになった。問題はこの武装政権奪取(クーデター)の首謀者が、誰であったかということである。

これまでの〝信玄もの〟では、こぞって信玄その人の策謀と述べてきた。

それは、父以上の名将である信玄像がその前提となっていたからだ。

たとえば十六歳の信玄は父と海ノ口(うんのくち)城（現・長野県南佐久郡南牧村）を攻めたが、信虎は途中断念、兵を引くこととなったが、信玄はわずかな人数でとってかえし、敵の不意をついて城を落とし、平賀源心(ひらがげんしん)の首級を挙げた、という事件があった。

信玄の初陣として、もっぱら語られるものだ。

ところが、これは後世の付会であった。信玄の機転で落としたはずの城も敵将も、実在していない。

それは信虎—信玄の父子二代に仕えた駒井高白斎(こまいこうはくさい)がつけていた、日記『高白斎記』の該当日に、一行も若君の大成功が述べられていなかったことでも、明らかであったろう。

これほど大切なことを書きとめず、高白斎は今川家で起きているお家騒動について記述していた。あり得まい。

信玄の劇的な初陣を語ったのは『甲陽軍鑑(こうようぐんかん)』のみであり、他のいかなる文献にも、この戦いは出てこない。筆者は、後世の創り話だと断じてきた。

もし、そうであったならば、信玄の初陣は今もって確定もできていないことになる。

また、改めて二十代の信玄の指揮ぶりを見ていると、天文（てんぶん）（てんもん、とも）十七年（一五四八）二月と天文十九年九月、ともに村上義清（むらかみよしきよ）によって大敗を喫していた。

「信玄は実戦指揮能力が低かったのではないか」

そう思わざるを得ない、史料ばかりが目につく。

では、初陣の武功なく、合戦にとりわけ巧みでなかった信玄が、クーデターの首謀者でなかったとすれば、誰が信虎を追放したのか。

板垣信方だろう、と筆者は考えてきた。

むろん、甲斐武田氏の最高職（ポスト）「職」のもう一人、甘利虎泰（あまりとらやす）も荷担していたであろうし、のちに〝赤備え〟で一世を風靡（ふうび）する飯富虎昌（おぶとらまさ）も加わっていたはずだ。

つまり、信虎を国外に出した勢力は、これ以上、信虎の権威、権力が大きくなることを歓迎しない人々であったことになる。

小説の世界では、信玄の許（もと）で一致団結する〝武田二十四将〟などという御題目が通用しているかもしれないが、実際の歴史は下剋上の真っただ中である。

甲斐武田家だけが、例外などはなり得まい。

もし、例外があり得たなら、それこそ前述した信虎の活躍など、そもそもいらなかったことになる。下剋上の風圧を抑え込もうとした信虎と、あくまで時代の開放感＝下剋上の恩恵に与（あずか）ろうとする国人・土豪とのぶつかり合いが、あの信虎追放劇の真相であった。

つまり信玄は、蚊帳（かや）の外。まったく、関与していなかったのではないか。

ただ、信虎にかわる国主として、一番すわりのいいのは信玄であったろう。

守護武田家の嫡子である。信玄は飾りもののように、国主の座についたのが真相であった。むろん、このままでいい、とは当の信玄も考えていなかったであろう。

合戦は下手でも、非凡な人物は存在する。逆に、何でもかんでもできる人間を創り出したがるところに、日本人の欠点はあった。

信玄はまず、沸（わ）きたつ下剋上の世相の中で、国人・土豪の創り出した〝甲斐共和国〟の一員に、自らも謙（へりくだ）って参加することを考えた。ここで彼らに嫌われれば、いつまた父と同じように追放されるかもしれない。

板垣信方、甘利虎泰など、甲斐源氏の流れを汲む国人も、けっして少なくなかった。

そこで彼が着手したのが「甲州法度之次第（こうしゅうはっとのしだい）」だと考えれば、その末尾の説明もつく。

「晴信（信玄）行義（ママ）そのほかの法度以下に於（おい）て、旨趣（ししゅ）相違のことあらば貴賤を撰ばず目安を以（もっ）て申（もう）す可（べ）し、時宜（じぎ）によって其（そ）の覚悟すべきものなり」

信玄は自らに言い聞かせるように、但し書きのように、述べている。

なぜ、このようなことを書き加えなければならなかったのか。民主主義を知らない戦国武将がこのようなことわりを入れる理由があるとすれば、筆者には自分も仲間に入れてほしいという、信玄の切実な思いがあったからだとしか考えられない。

歴史は絵空事ではない。積み重ねた真実の上に、史論を展開されるべきものだ。

信玄の父は人非人で、息子は立派な武将だった——そんな話は少しまともに歴史学をやれば、一笑に付されてしまうことが明らかとなろう。

信玄はまず「甲州法度之次第」で国人層を手懐け、土木によって領民の支持を得、そして父の失敗に学んで、外征しても将士を損なうことなく戦う——そのために情報重視の戦略へと、切り替えていったのである。

人間、必要に迫られないことはしないものだ。

山本勘助と菅助の差

戦国の武将・武田信虎—信玄（晴信）父子について見てきたが、結果を歪めて書きつづけていくと、どういう歪みが生まれるか。

ついには、架空の人物を創り出すことにも繋がってしまう。

その一番の基準事例（モデルケース）が、同じく武田家の名軍師・山本勘助（かんすけ）（あるいは勘介）となろうか。

この人物も、前述したごとく『甲陽軍鑑』という、江戸時代の中期に世に出た〝歴史小説〟にしか登場しない。

勘助は信玄の軍師として、甲州軍団を日本一の無敵の集団に押し上げ、創り変えた功労者として描かれているが、他のいかなる史料にも、その名前も、軍師としての活躍ぶりも、何一つ記録されていない。

余談ながら、ときおり「武田信玄」の足跡を追う根本史料に、『甲陽軍鑑』だけを拠（よ）りどころとする研究者、小説家がいるが、読者はマネてはならない。

『甲陽軍鑑』は今風にいえば小説、読みものの類（たぐ）いであって、歴史的事実からははるかにかけ離れている。事実を曲げたり、時間の経過を誤っている箇所は、けっして少なくなかった。

信玄の生涯を追う補足資料としてはまだしも、根本資料としては不適当であると言わねばならない。

それはあたかも、「五経」すべてを学ばず、副読本の『論語』だけを読んで、儒教のすべてがわかったと、錯覚するのに似ている。

聞くところによれば、昭和四十四年（一九六九）に北海道の釧路市から武田氏関係の古文書が発見され、そのおり文中に、「山本菅助」という名があらわれたというから、「山本菅助」という名前の武田家家臣はいたのだろう。

それをもって、鬼の首でもとったかのように、

「どうだ、山本勘助は実在したであろうが——」

という歴史作家もいた。

だが、筆者が問題にしている、歴史学にいう〝歪められた結果〟は、そんな枝葉末節的なことではない。ここで問題にしたいのは、武田家軍師としての山本勘助であって、諸国へ使いした山本菅助ではない。

もう少しわかりやすくいえば、『甲陽軍鑑』に描かれ、大活躍をした勘助が、本当にいたのかどうか、が問題なのだ。

名軍師・山本勘助は、『甲陽軍鑑』において、次のように登場する。

一年前代、駿河にて今川義元公の時、山本勘介、三河ノ国牛窪より今川殿へ奉公の望にて参るといへども、彼山本勘介散々夫男にて、其上一眼、指も叶ハズ、足はちんば也。然れども大剛の者なれば、義元公へ召をかるゝ様にと、庵原、勘介が宿なる故、おとなの朝比奈兵衛ノ尉をもつて申上るは、彼山本勘介大剛の者なり、殊更城とり・陣取一切の軍法

をよく鍛練いたす、京流の兵法も上手也。軍配をも存知仕りたる者也と申せ共、義元公かゝへましまさず。駿河にて諸人の取沙汰に、彼山本勘介は第一片輪者、城取・陣取の軍法は其身城をも終にもたず、人数ももたずして何とて左様の儀存ぜん、今川殿へ奉公に出度とて虚言を云也と各申により、勘介九年駿河に罷在ども、今川殿へかゝへ給はず。

（相良亨編集『日本の思想9』筑摩書房）

要するに、今川義元は山本勘介（ママ）の風貌から受ける印象から、その人物を信用せず、裏付けとなるものがないことから、今川家に仕官したいばかりに嘘をついているのだ、との駿河の人々の評判もあって、ついにこの人物を召し抱えなかったということになる。

時代背景を見よ

にもかかわらず、信玄は違う応対を見せたという。

武田信玄公勘介を聞及ビ給ひ、百貫の知行にて召寄らるゝ。小者を一人つかはぬ勘介に百貫下さるゝと、譜代の少身衆申べきとて、板垣信方に仰付られ、馬・弓・鑓・小袖・小者を道まで指越給ひ、山本勘介甲府へよろしき躰にて参り、礼を申上ると、其座にて弐百貫の知行を下さる丶子細は、あれほどの小男にて名の高き勘介は、能々手柄こそ有らめ、約束にても百貫は比興也、弐百貫とある儀にて武田信玄公家の宝にし給ふ。（同書）

まさに、信玄の名将ぶりが義元との比較の中に語られている。

うわさを聞いただけで、勘介のすぐれたところを見抜いて、信玄は面会してもいないのに百貫もの知行を約束し、それなりの見苦しからぬ身なりをわざわざ用意し、途中まで出迎えの者をやり、出仕の挨拶にくるや、信玄は勘介に、その場でさらに百貫を加増のうえ、二百貫の知行をくれてやったという。まさに、〝三顧の礼〟を尽くさんばかりだ。

その厚遇の理由は、このように外見がよくない小男であるにもかかわらず、評判が高いのはよほどすぐれた武功があったのだろうから、百貫では理に合わず、二百貫を与えたのだ、という。

――何度読んでも、笑える箇所である。

歴史学を多少なり齧ったことのある人間を、これほど馬鹿にした記述もあるまい。

戦国時代、「武功」はことごとく証拠を必要とし、証人が不可欠であった。

その活躍を具体的に述べ、証人の血判をとって軍功状を作成したものだ。

本当に手柄を立てたのかどうか、その書状を見れば一目瞭然。うわさや評判などは、何ら仕官の対象とはならなかった。

宮本武蔵(むさし)が、諸合戦に出て己れが活躍したのを人々は知っている、と述べたくだりが『五輪書(ごりんのしょ)』に出てくる。が、彼は肝心の軍功を記した書付(かきつけ)を一つももっていなかった。

つまり、合戦に出ての武功は、ことごとく絵空事であった、と言わねばならない。

同様に、実績の不確かな山本勘助が突然、二百貫の知行をもらって武田家へ迎えられ、やがて軍師として大活躍する——読みものとしてはおもしろい筋書きかもしれないが、ハマる前に冷静に、時代背景を考えていただきたい。

信玄の時代は信長の時代より一世代前、つまり信長の父・信秀と同世代ということになる。この時代に兵農分離はおこなわれておらず、庄屋層(国人・土豪)=武将であり、百姓=足軽であった。したがって、合戦は村単位で移動し、おこなわれたわけだ。

筆者が「あり得ない」と断ずるのは、こうした中世の時代に、京や大坂に比べて、はるかに後進地——保守性が強い一方、猜疑心の旺盛な地域=甲斐国で、他国の人間がある日、ふらりとやって来て、いきなり重臣待遇で迎えられる、という行為そのものが成り立たないということだ。

好例が、史実の真田幸隆(さなだゆきたか)(幸綱(ゆきつな))であったろう。この人物なくして信玄の信濃併合はあり得なかった。上洛戦までも見据えて、武田家にとって彼は最大級の功労者といってよい。

当然のごとく、信玄は幸隆の軍功に報いるべく、彼を武田家の重臣に迎えようと、たびたび、重臣たちにはかっている。

が、ついにその生涯を通じて実行に移されることはなかった。

なぜならば、幸隆は甲斐武田家の併合した、信濃出身の武将であったことから、武田家の重臣たちが挙(こぞ)って反対したからである。

「われらの奪い取った信濃から、重臣を迎えるなどもってのほか、武田家にも登用いただきたい将は、たくさんおり申す」

信玄は、この反対を覆(くつがえ)すことができなかったのだ。

――これが歴史の真実である。

軍功の明らかな真田幸隆すら素直に認められずに、重臣となれなかったものが、うわさや評判だけの他国者・山本勘助を〝軍師〟に認める、などということがあり得ようか。

飛躍して、時代を捉えてはいけない。

なるほど信長の時代となって、門地家柄の出自にこだわることのなかった彼ならば、人物本位で抜擢人材も可能であったろう。

事実、木下藤吉郎（のちの豊臣秀吉）や明智光秀を抜擢している。

しかし詳細に見ると、信長は課題を一つ一つ解決させ、徐々に水準(レベル)を上げていた。

後者の光秀は将軍候補（のちの十五代将軍）の足利義昭を連れてきた功名があり、京都奉行をさせても、堺奉行をやらせても、また合戦の指揮をとらせてみても、いずれも上手くやりおおせたからこそ、その結果として、織田家最初の〝城持ち〟となり得たのだ。

信玄の甲斐武田家は、一世代のちの織田家ではない。前述したごとく、合議制の共和国のようなものであった。下剋上のエネルギーが国内で吹き上げる中にあって、勘助の抜擢はあり得ないことであった。

物語＝創作された世界は、おもしろい。何でもありであり、人物が無条件に飛躍する。読者の中には、そこに己れをダブらせて、悦に入る人がいるのかもしれないが、夢の世界はいつかは醒める。厳しい現実から、夢の世界に逃避しようとしても、しょせんはわずかな時間のことでしかない、と知るべきであろう。

現実を直視する勇気をもたず、都合のいい物語の世界に棲んでいると、ついには自分自身も浮遊する存在になりかねない。

それこそ、メディアが放つ大量で回転数の速い情報を、立ち止まって取捨選択することなく、受け身一方で読まされ、聞かされ、見せられているのと同じことだ。

浮遊しているだけならばまだしも、飛躍する論旨が蔓延化すると、論理的な仮説を求めるという作業を怠るようになる。考えるのが、面倒くさくなるのだ。

結果、とんでもない結論を、直感的に導き出すようになってしまう。

心が織りなす人間模様は、絶えず変化し、そのプロセスは起こりの地点（時点でも）では、予想もしなかった変化を遂げ、考えもしなかった結論、結果に繋がるものだ。

だからこそ、「なぜ」「もしも」を繰り返し、時間をかけて物事を見つめ、常に批判精神、立ち止まって考える習慣を身につけるべきなのである。

偉人の素顔

今ひとり、野口英世（のぐちひでよ）についても、触れておきたい。

この猪苗代（いなわしろ）湖畔に生まれた人物は、偉人伝に書かれるために生まれ、生き、死んだような気がしてならない。

人生のスタートから、悲劇性を帯（お）びていた。明治十一年（一八七八）四月、一歳半にして囲炉裏（いろり）に転げ落ち、左手に大火傷（やけど）を負ってしまう。

のちに二度の手術により、ようやく親指だけは使えるようになった彼は、ハンディキャップをものともせず、医者を志して苦学し、艱難辛苦（かんなんしんく）を乗り越えて、極貧の農家の小倅（こせがれ）から、やがては世界的名声を博す細菌学者となって成功した。

しかも晩年は、黄熱病（おうねつびょう）研究のためアフリカへ渡り、懸命にその病原体の発見につとめ、ついには現地で生命を失ってしまう。戦死といったイメージのその鮮烈な死は、あまりに劇的であり、感動的であった。

しかし、その生涯は一面、歴史の光の当て方を変えれば、〝創り話〟にあふれていた。

まず、一度目の手の手術を受けた翌年、猪苗代高等小学校を優等で卒業した野口は、このとき、医者ではなく、小学校の教員を目指していた。

だが、体操の授業ができなければ教員にはなれず、恩師の小林栄先生のすすめで、手術を受けた会津若松市の渡部鼎の医院に、書生として住み込むことになったのである（十七歳）。

野口はここで頭を切りかえ、生涯つづく一日三時間あまりの短い睡眠をとりながら、必死に医学を独学で勉強したが、どうも伝記にかかれるような、顕微鏡をのぞいて細菌の不思議を知ったり、感動して細菌学を志したということはなかったようだ。

明治二十九年九月に上京。十月には、みごと医術開業前期試験に合格している。

そのあとは、生涯の支援者となる血脇守之助——この年の夏、福島県下に夏期出張診察に来ていた医師で、現在の東京歯科大学の創立メンバー——とのわずかな出会いを頼って、その好意にすがり、高山歯科医学院に小使いとして置いてもらいながら、同三十年十月に、これまた医術開業後期試験に合格。医者として開業できるようになり、順天堂病院で働くこととなった。

まことに記しにくいことだが、この頃の野口は典型的な放蕩児であった。順天堂病院に就職した最初の月給を、一晩で使い果たしている。故郷の知人への手紙のほとんどは、借金の依頼であり、彼は悪所通いに精を出してもいた。性格なのであろう、のめり込むと見境がつかなかった。

医者となって、一番早くに有名になれるものは何か——。

野口は当時、世界的な新発見がつづいていた細菌学を専攻し、明治三十一年四月には北里柴三郎の伝染病研究所に入所する。

けれども、野口は伝染病研究所が東大医学部出身者を主流としており、ここでの出世はみこめない、と入所早々に判断したようだ。アメリカの細菌学者でペンシルヴェニア大学教授のフレクスナーが来日したおり、その語学力を買われて案内役を務めた、ただそれだけの縁をたよって、新天地をアメリカに求めることを企てる。

当時、渡米には莫大な金が必要であった。

一年で北里伝染病研究所から海港検疫官補に転出した野口は、国際ペスト予防委員会の一員として中国へ渡り、そこでの高額な月給をためて、アメリカ渡海を考えたようだが、この天性の放蕩児は出発のおりの支度金を、これまた悪所通いで使い果たし、借金取りが押しよせてくるので下宿にも戻れず、逃げまわり、出発の当日でさえ新橋駅から乗車できずに、借金取りをまくため、わざわざ品川まで歩いて出発する有様であった。

当然、中国での貯金などできるはずもない。

そこで次には、アメリカへの渡海費用を出してくれることを条件に、ある令嬢と婚約。ところがその大金をまたしても昔の同僚を集めての、三、四日にわたるどんちゃん騒ぎで全部使い切ってしまった。

このとき、妻の着物から指輪まで質屋へ入れ、さらには高利貸しにまで金を借りて渡米費用を作ったのは、前述の血脇であった。

アメリカ行きのときも、お金を直接渡したら危ないと考え、わざわざ船賃を払って切符を買い、船の上まで野口を送っていき、甲板で、

「野口君、今度アメリカへ行ったら、もう頼る人はいないんだぞ」

念まで押したという。

筆者にはこの血脇の献身的な姿の方が、よほど涙をさそうのだが……。

野口には、こうした支持者が他にも幾人かいた。

野口には、彼らにしか知れない、不思議な魅力があったのだろう。

悪妻と世界の名声

さて、わずかに一度、通訳として会っただけの野口が、ペンシルヴェニア大学のフレクスナーの許をおとずれ、助手として雇ってほしい、と切り出した。

フレクスナーは当惑したであろう。当然のごとく、余地はない、と追い返したが、それでも連日やって来て、しつこく食いさがる野口に根負けし、結局、研究の助手の手伝いということで雇うことに――。

もっとも報酬は、最低限度必要とされた当時の生活費を大きく下まわり、実際、最低のさらに二分の一程度のもの。野口はここで、赤貧洗うがごとき生活を強いられる。

一方において、

「この日本人は、いつ寝ているのか?」

同僚がいぶかるような、野口の常軌を逸した研究一筋の日々がしばらくつづく。

しかし、このような逆境になると、野口は己れの真骨頂を発揮する。

渡米二年にして正式なペンシルヴェニア大学医学部の助手となり、カーネギー学院研究助手を務め、デンマークに留学。国立血清研究所に入所(二十六歳)。明治三十七年九月にデンマークからアメリカへ、翌月にはロックフェラー医学研究所の一等助手となった。

――異例の出世、と言わねばならない。

この間、野口は蛇毒の研究にたずさわっていた。ペンシルヴェニア大学で彼に与えられた最初の仕事が、毒蛇に毒を吐き出させてそれを採取するというもので、その毒の違いを証明したのが、野口の出世のタネとなった。

次いで、梅毒病原体スピロヘータ・パリドゥムの純粋培養。野口は不屈の勤勉さをここでも発揮し、ついに明治四十四年、この純粋培養に成功する。三十四歳。

ようやく一息ついたのか、翌年、五カ月早生まれのメリー・ダージス嬢と結婚している。だが、この妻は周囲に悪妻と映った。体格が野口よりも良く、そのうえ腕力があり、アイルランド系で、頭に血がのぼりやすい激情家でもあった。

大酒飲みで、彼女も夫と同様、浪費家であった。

一方、野口の研究は、さらに生き急ぐように進む。

脊髄（せきずい）の中の梅毒病原体の発見と進行性麻痺（まひ）患者の脳中の梅毒病原体の発見（三十七歳）。オロヤ熱（風土病）の、病原菌の純粋培養の成功（四十九歳）。野口の名声は、国際的に轟（とどろ）いた。幾つもの勲章、名誉称号が贈られている（『野口英世博士生誕百年記念誌』）。

一説に、大正三年（一九一四）にはノーベル医学・生理学賞の授賞候補に挙げられ、最終選考の九人にまで残ったという（スウェーデンより、勲三等をこの年四月に授与されている）。

翌年も、同様にノーベル賞候補者に。ところがアカデミーは第一次世界大戦の影響から、この年より四年間、「該当者なし」を出しつづけた。

野口は大正九年にもノーベル賞の候補に挙がったものの、このときは一次選考で落とされたという。この頃、すでに世界の細菌界で野口の時代は去りかけていたのかもしれない（別説に四度候補に挙がったとも）。

そのことを、野口は自覚していたかどうか。彼は生涯最後の十年間を、ペスト、コレラとともに恐れられてきた、南米やアフリカの風土病である黄熱病の研究に費やした。

野口は大正七年六月、黄熱病の流行地であった南米のエクアドル共和国に赴く。

そして九日目に、黄熱病原体を発見したというのだ。

その後、メキシコ、ペルー、ブラジルなどの国々をまわり、彼は行く先々で病原体を発見し、メキシコでは〝野口ワクチン〟が作られ普及した。

しかしこれらの成果は、野口存命中から疑問視され、のちには完全に否定されてしまう。

その証左はいくつもの論文に述べられているが、なによりもワクチンを打っていた当の野口本人が、黄熱病で死んだことが、そのことを雄弁に物語っていた。彼の発見したものが黄熱病原体なら、それから開発したワクチンが効かないはずはない。

今一つ、黄熱病原体の正体は、細菌の数百分の一のウイルスであった。

それを観察することのできる電子顕微鏡は、野口の死後、十年たって発明されている。

おそらく彼が発見したのは、黄熱病原体に混在した雑菌であったのだろう。

ただ、このミスをもって、あるいはその放蕩ぶりの異常さを抽出しても、野口英世の功績はけっして汚されるものではない。人間は本来、完璧ではなく、どこかに崩れた部分、弱点をもっているものだ。

問題はその欠点を長所に転換できた者は成功者と呼ばれ、ついに気づかなかった者は落伍者としてのレッテルを貼られてしまう。

野口はそのことを、後世のわれわれに教えてくれた偉人でもあった。

昭和三年（一九二八）、西アフリカ（現・ガーナ共和国）のアクラで黄熱の研究をつづけていたこの世界的細菌学者は、五月二十一日、同地でこの世を去った。享年は五十三。

研究者としては若く、その早世が惜しまれたが、野口本人はようやく走りつづけた一生を終えることができ、落胆しつつも案外、ほっと胸をなでおろしたかもしれない。

この人物を祖国日本は、完璧な理想的細菌学者として、いまだに語り継ごうとしている。

第四章

歴史はくり返すのか

歴史学は学問と言えるか

学生時代、歴史哲学を学んだ小田丙午郎先生に、講義終了後、入学以来、持ちつづけていた疑問を、ぶつけたことがあった。

「先生、歴史学は本当に学問と言えるのでしょうか？」

大学三年の春であった、と記憶している。

過去に起こった事物を列記し、記録することが、今を生きるわれわれにとって、実際に役立つのかどうか。

もし、歴史学が学問であるとするならば、歴史の発展における法則性を導き出せなければならないのではないか。

科学は反復実験し、そのくり返しの中で正しさを実証することに存在価値がある。

同様に歴史学でも、学というからには、その普遍的な基本法則が確立していなければならないと考えるが、はたして〝歴史〟を実験し、実証することができるのか。

いま、大学で学んでいるのは大半が基礎史学、文献史学であって、わずかに歴史観のようなものを歴史哲学では学んでいるものの、これは法則性にまで高められるものなのか。

そもそも、歴史には法則性などと呼べるものがあるのか——云々。

堰（せき）を切って出てくる筆者の疑問に、小田先生は平然と答えた。

「歴史はくり返す。しかし、同じ形にはならない。時代状況の変化をふまえ、つねに軌道修正が必要なのではないか」

と。同じ頃、堀池春峰（ほりいけしゅんぽう）先生（のち東大寺史料館館長・故人）の東大寺文書の講義を受けていたときにも、同じようなことを質問した記憶がある。

このとき堀池先生は、

「なぜ、人間が日記をつけるか、考えたことがありますか。この日記をつける行為こそ、歴史学のスタートではないでしょうか」

と、お坊さん出身らしく実直、丁寧に言われた。

日本の中世、とりわけ平安・鎌倉時代の公家は、実に熱心に日記を綴（つづ）っている。男も女も、位の上下なく、筆まめであったと言ってよい。

ところがその内容といえば、十年一日のごとく、変わることのない年中行事――宮廷の儀式、神祭、仏儀、芸能といったものに対する、覚書（おぼえがき）と解釈してよさそうなものが、大半を占めていた。それに、個人の感想（コメント）がわずかに、添えられているにすぎなかった。

おそらく著者である日記の書き手は、次の年になれば前年の項を繰り、記憶を呼び起こすために、自らの日記を活用したのであろう。

約束事、仕来（しきた）りに遺漏（いろう）のないよう、その注意事項を確認する作業は、何代にもわたって受け継がれたはずだ。

なるほど、記録する価値は認めよう。歴史学のスタート、というのもよくわかる。

また、こうした時流が堰き止められているような泰平、日常にあっては、〝歴史はくり返す〟の論は納得しやすい。

だが、公家の日記にも先例や「前々の如く」といったくり返しばかりではなく、「新儀」すなわち、習慣、慣例の踏襲ではない変化、新規の事物の記述が、注意深く読んでみると少なくなかった。

――中世は、まだいい。

しかし、時代の変革期――たとえば、戦国時代や幕末・明治維新などは、日々、新たなことばかりが勃発して、なかなか〝歴史はくり返してはくれそうにない〟。

現に、歴史学を教える学者の中には、

「歴史はけっして、くり返すものではない」

と言い切る人も少なくなかった。

だが、歴史がくり返さないもの、反復性を持たないものであるならば、そこに基本的な法則性を導き出すことはできない、ということになる。

なるほど、筆者の恩師・勝部眞長先生（お茶の水女子大学名誉教授・故人）が中心となって刊行した『勝海舟全集』（全二十一巻・勁草書房）の中の、筆者もわずかにお手伝いをした『勝海舟日記』（全集中、第十八〜二十一巻）を読めば、海舟の言動に反復性は読みとれない。

日々、新たに起こる難問に対して、臨機応変、懸命に立ち向かい、事物に応じた対処をし、そのおりの心情、感想が、簡単に述べられているのみであった。

では、歴史学はやはり、学問とはいえないのか。

単に過去を書き止めるだけの、〝情報要素〟(ソフトウェア)でしかありえないのであろうか。

不易流行

当の勝部先生はどう思っているのか、と問うてみたことがあった。

二十代前半のことだと記憶する。

そのとき先生は、

「温故知新——故(ふる)きを温(たず)ねて新しきを知る、歴史学はつまるところこれだな」

と言われた。

『論語』の爲政(いせい)篇にある言葉だ。何事であっても過去をたどり、それを十分に消化したうえで、未来に対する新しい思考、方法を見つけるべきだ、というのが言葉の意味であった。

「――現在は過去なくしては存在しない。しかし、過去だけにとらわれていたのでは進歩がない。新しい世界の展望を見るためには、過去を無視し去ってもだめだし、新しいことにのみ執着するのも、失敗を招くものだ」

勝部先生はここで、松尾芭蕉（まつおばしょう）の「不易流行（ふえきりゅうこう）」をもち出した。

永久に変動しないものと、つねに新しく変化するもの。

芭蕉はそれを、詩の基本と新風の体――俳諧（はいかい）の世界について述べたのだが、歴史学もこの「不易」と「流行」の二つによって成り立つ、と勝部先生は明言した。

歴史学概論の講義を受けると、教える側はつねに〝歴史〟を、「地図」や「羅針盤」にたとえる。

たしかに、諸事、記録することの意義は大きい。歴史学は学問すべての源だ。

けれども、法則性についてはどうであろうか。

歴史が人類の発展であるなら、どの一年、一日をとっても同じものはなかったはずだ。

戦争、飢餓、天災といった同じようなものはくり返し出てくるが、そこに普遍性、法則性は導き出せるのであろうか。

「歴史学は倫理学に似ているな」

と言ったのも、勝部先生であった。

ちなみに、先生は日本倫理学会の会長をしておられた。

「老成人なしと雖も、尚お典刑あり。會て是れ聴くこと莫し――『詩経』にあるよ」と。『詩経』は中国最古の詩篇であり、『書経』『易経』『礼記』『春秋』と相配して、〝五経〟の一つに数えられている。

巧みな比喩の富んだ文章が多く、都合のよい一句だけを抜き取って、教訓を語る場合にもよく使われた。

右の先生の言葉も、そうしたものの一つ。

「たとえ立派な老成人はいなくなっても、むかしの人が作り、残した道徳の規範（典型）がある。しかるに、乱世になるとその典型にさえも、人々は耳を傾けなくなる」

との意となった。

勝部先生はこのとき、うまそうにパイプのタバコを吸ったが、筆者は意味がすぐには呑み込めず、ただ茫然自失したものだ。

以来、歴史学と倫理学との関係を暗中模索してきたのだが、どうやら先生の言われた類似点は、次のようなものではなかったか、と最近、ようやく思うようになってきた。

人類が誕生し、言葉を持ち、文字を手に入れて以来、延々と積み重ねてきた歴史には、治乱興亡の法則があった。

これは人間の生命力に、たとえてもよかろう。

この世に生まれ出て、親や周囲の保護なくしては育つことがかなわない幼少期を送り、学習し、社会経験を踏まえて成人し、社会に出て働き、やがて定年を迎え、体力はこうした生き方に即応したバイオリズムをたどり、やがて衰亡していく。

人類が持った集団、家族や国家はそれこそ夜空の星の数以上であったろうが、基本的には人体の生命力と同様の創設―躍進―安定―停滞―衰退―滅亡をたどっていく。

もとよりギリシャ、ローマ帝国と大日本帝国は同じにはならない。

背景があまりにも異なっている。けれども、そこでくり返された興亡の歴史は、間違いなく一つの一定周期性（バイオリズム）をたどっている。

「歴史はくり返す。しかし、同じ形にはならない」

と言った小田先生は、芭蕉の不易流行を持ち出した勝部先生とも、言われたことに差異はなかったように思われる。

このことを、少し具体的に見てみよう。

占星術と歴史学

歴史にはバイオリズムがあり、その栄枯盛衰を映す〝鏡〟が歴史書であると理解すれば、なるほど、そこには歴史の基本法則が導き出せるように思われる。

各時代の共通点、類似性、相違点——等々。

過去と現在を映し、未来をも見透すことのできる〝鏡〟——それゆえであろうか、日本の古代の史書には『大鏡』（平安時代後期に成立、文徳天皇から後一条天皇まで十四代の歴史を綴ったもの）、『今鏡』（平安時代末期に成立、後一条天皇から高倉天皇まで十三代の歴史を綴ったもの）、『水鏡』（鎌倉時代初期に成立、神武天皇から仁明天皇まで五十四代の歴史を綴ったもの）、『増鏡』（南北朝時代に成立、後鳥羽天皇から後醍醐天皇まで十五代の歴史を綴ったもの）といった、〝鏡〟の字を題の一部に用いたものが多い。

他方、鎌倉時代に幕府の正史として編纂されたのが『吾妻鏡』であり、室町時代には『後鑑』というのもあった。

この『後鑑』は、徳川幕府が編纂した室町幕府の歴史書であり、幕末の天保八年（一八三七）から嘉永六年（一八五三）にかけて、成島筑山ほか幕臣九名が編纂に従事して編まれたもの。

内容は元弘元年（一三三一）、足利尊氏の京都発向から、慶長二年（一五九七）の足利義昭死去までを扱っていた。典拠として、史料本文を掲げている点に特徴があった。

——さて、では、こうした〝鏡〟に、過去・現在の何を映すのか。

過去に起こった事件や史実を、一つひとつ映すことは、記録に相当する作業といえる。

だが、その〝情報要素〟だけでは歴史学とはいえないのは、見てきた通りである。

映すべきはその時代を生きた人間であり、時代を超越した人間そのもの、つまりは人間性ではあるまいか。

恩師・勝部眞長先生がおっしゃった「歴史学は倫理学に似ている」というのも、そのことを指したのではなかったろうか。

戦国時代を生きた日本人も、幕末・明治を生き抜いた日本人も、無論、二十一世紀を生きているわれわれも、同じ日本という国に生きていることに変わりはなく、その根差している部分＝原理・原則は、ある種の不遍性を持つのではあるまいか。

発展・進化といった現象に囚(とら)われていては、歴史は学問としての反復性・普遍性を失ってしまう。

言い換えれば、歴史学は記録することによって、その進展してきたプロセスを方向づけることができるが、もう一方においては、その時代に生きた一人ひとりの〝なま〟な人間の生涯をたどることによって、未来への個別な対応もできるということになる。

人には各々、性格がある。顔も百人、百通りであろう。

だが、人柄の類似性、嗜好(しこう)、性格の共通点、立場における対処法といったものは、ある程度の分類が可能なのではあるまいか。

巷(ちまた)にあふれる、占いを見てみるといい。星座、血液型、干支(えと)など、一つの条件下で統計をとるように、人々を区分する試みが、それこそ太古の昔からなされてきた。

「神のお告げである――」

と言われるものも、少なくも中世に近づいた時代、多くの国々での占いは、それなりの根拠を持つようになっていた。

歴史学はその根拠を、過去の人々の営みに、基本的に置いて考えてきたといえよう。

ただし、占星術という如く、占いが「術」を超えて「学」となり得なかったのは、そこに神秘だとか、非科学的な飛躍の論旨が、かならず要素として存在したからである。

言い換えれば、占いは純粋科学とは言えない。

それに比べれば、歴史学は純然たる科学の分類に入るが、取り扱うのがこの世で一番難しい人間であるところに、最大の難点があった。

いかに科学的分析をおこなっても、この人間、人間性は数学のようには、すっぱりと割り切れてはくれない。その割り切れないもどかしさが、一方において文学を人間に与えたともいえる。

占いや祈禱(きとう)、託宣(たくせん)、呪術、祈法、魔術といったものが生まれ、派生したのも人間性ゆえといえるだろう。

中国・三国志以前から、日本の戦国時代にかけて、世界中に森羅万象の法則を学んだという、軍師や参謀が輩出した。

それこそ太公望呂尚、范増、張良、陳平、諸葛孔明、周瑜公瑾、劉基伯温など。あるいは、楠木正成、太田道灌、太原崇孚（雪斎）、川田義朗、角隈石宗、宇佐美定満、真田幸隆（幸綱）、真田昌幸、真田信繁（俗称・幸村）――云々。

しかし、日本でいう近世史に入ると、科学と非科学は厳格に分けられるようになり、神謀鬼才を働かせる軍師は、徐々に姿を消してゆく。

別な見方が許されるなら、科学の領域に一番最後に入ったのが、歴史学ではあるまいか。

そのためか、まだ学問としての据わりがいささか悪い。

だが、人間が未来の方向を見定め、その見通しをつけようとするとき、これまで人間が歩んで来た道を比較対照、批判する以外に方法はない。

この場合、ものをいうのが質と量――歴史上の人物のデータである。

桶狭間と本能寺は同じ

日本の戦国に興味を持つ人の中には、織田信長のファンが少なくない。

すでに見たように、永禄三年（一五六〇）五月十六日、公称四万（実質二万五千）の軍勢を引き連れて、今川義元は領国駿府（現・静岡市）を出立。三河の岡崎城（現・愛知県岡崎市）に、軍勢を進めた。義元、四十二歳。

これを迎え撃たねばならない信長は、二十七歳であった。

信長は突然に降りはじめた豪雨を幸いに、田楽狭間で休息をとっていた今川義元の許へ、傾れ込む。

義元は、まず服部小平太に一番槍をつけられ、つづく毛利新介に首をはねられた。

——ここで取り上げたいのは、義元の油断であった。

同じことは、本能寺の変に横死した信長にもあてはめられた。

天正十年（一五八二）五月二十九日、わずか二、三十人の供を率いて上洛した信長は、備中高松城へ出陣すべく、西洞院小川の本能寺に入った。

当時の本能寺は、信長の京都滞在中の定宿であり、周囲の町屋を退去させ、四方に掻き上げの堀をめぐらし、内側には土居を築き、木戸を設け、厩舎まで造るなど、小城郭の構えを備えてはいたが、皮肉なことにこのときほど、京都の警戒が手薄であったことは、永禄十一年（一五六八）の信長上洛以来、ついぞなかったのではあるまいか（大規模な造営を終えてからは、信長が本能寺に宿泊するのは二度目）。

同じ頃、嫡子・信忠も上洛してきた。こちらも手勢は、わずか三百ばかり。信忠は衣棚（ころものたな、とも）押小路の妙覚寺に止宿している。

六月一日には、信長の茶の湯の会があり、散会後、信長は信忠、京都所司代の村井貞勝を相手に、うちとけた楽しい一刻を過ごして寝所に入った。

相前後して、西へ向かって進んでいるはずの明智光秀の軍勢一万三千は、丹波亀山城（現・京都府亀岡市）を出発し、山崎と丹波の国境、老ノ坂を越えて沓掛にいたり、やがては桂川を渡った。

光秀の襲撃を知った信長は、

「是非におよばず」

とのみ言葉を発した。

信長は己れを炎の中に葬り、歴史は動いた。信長の享年は、四十九であった。

桶狭間の義元と本能寺の信長は、年齢も違えば性格も異なっていた。

だが、権力者がつい陥る落とし穴＝油断——まさか、己れに仇なす者が近くにいるはずがない——との思い込みにおいては、まったく同じ立場であったことは明らかである。

神仏を超えた英傑

時代を超越した人間の普遍性は、別の人物を求め、現象を取り替えても、何ら変わることなくくり返されるところにも特徴があった。

たとえば、戦国時代の武将を見ると、武田信玄は「われ不動明王なり」と言い、宿敵の上杉謙信は「毘沙門天（びしゃもんてん）の再来」と自らを称した。

ともに戦国史を代表する屈指の名将でありながら、結局、二人は天下を取ることができなかった。

龍虎、相食（あいは）むが故であったろうが、一面、二人が偉くなりすぎたがゆえでもあった、と筆者は考える。

人間は誰でも、若い頃は未熟な一面を持ち、戦国時代の武家の当主なら、老練なトップ＝先代や先輩＝宿老、侍大将などの手前、そういった人々に馬鹿にされまい、軽んじられまい、いや、負けまい。いつの日か、追いついてやる、追い越してやる、との気概（きがい）を持って頑張るものだ。

やる気のある者、己れの能力に自負心のある者ほど、ときに神仏に祈り、その霊力に縋（すが）ってでも、百戦錬磨の老将と自らを比較し、研鑽し、負けじ魂を発揮する。

——ところが、できすぎる武将は人生の途中から、自らの分限をも超越してしまう。

神仏の加護を受けながら、老将に挑んでいた者が、実戦のキャリア、戦歴の広がりとともに、自らのカリスマ性を増したことで、引退する老将の成果を追い抜いたことはもとより、いつしか神仏をも超えてしまう。

主家・尼子の再興に生命(いのち)を懸けた山中鹿介(やまなかしかのすけ)は、

「われに七難八苦を与えたまえ」

と、月に祈ったと伝えられている。

鹿介はそこで自らをむなしく考えたのだが、信玄・謙信、あるいは織田信長は、自らが神仏に取って代わろうとした。

かつては頂上に、安土城天守閣が聳(そび)え立っていた安土山の峰つづき――その小山の上に、今も寺の跡地が残っている。

幕末の安政(あんせい)元年(一八五四)の火災で、仏殿・鐘楼・庫裏・書院・四脚門二棟・鎮守社が焼け、現在は三重塔と楼門のみが往時の名残(なごり)をとどめている。

寺名を安土城摠見寺(そうけんじ)といい、宗派は臨済宗。信長が近江国甲賀(こうが)郡から、建物を移築して建立したものであった。

天正九年(一五八一)の創建らしく、翌年正月一日に隣国の大名や親戚たちが、各々、安土の信長に挨拶に行こうと百々(どど)橋から摠見寺に上がったところ、おびただしい群衆が築垣を踏み崩して、人と石が一つになって崩れ落ち、多数の死傷者が出たという。

なぜ、死傷者が出るほど大勢の人が参詣したのか。

それは信長が摠見寺を創建するにあたり、掲げた四つの条件に明らかであった。

イエズス会の宣教師ルイス・フロイスの『日本史』からそれを紹介すると、

「第一に、富者にして当所に礼拝に来るならば、いよいよその徳を増し、貧しき者、身分低き者、賤しき者が当所に礼拝に来るならば、当寺院に詣でた功徳によって、同じく富裕の身となるであろう。而して（そうして）子孫を増すための子女なり相続者を有せぬ者は、ただちに子孫と長寿に恵まれ、大いなる平和と繁栄を得るだろう。

第二に、八十歳まで長生きし、疫病はたちまち癒え、その希望は叶えられ、健康と平安を得るであろう。

第三に、予（信長）が誕生日を聖日とし、当寺へ参詣することを命ずる。

第四に、以上のすべてを信じる者には、確実に疑いなく、約束されたことが必ず実現するであろう。而してこれらのことを信ぜぬ邪悪の徒は、現世においても来世においても滅亡するに至るであろう。ゆえに万人は、大いなる崇拝と尊敬をつねづねこれに捧げることが必要である」

摠見寺参詣は、信長の命令であったのだ。命に従わぬ「邪悪の徒」は、「滅亡」させられる。庶民がわれ先に、と摠見寺に急いだのはそのためであった。

先の天正十年正月の参賀では大名・小名に限らず庶民にまで、御礼銭百文を持参させ、直に手に取って賽銭箱に投げさせたという。

誕生日の参詣といい、己れを生き神として祀っているとしか思えない。

事実、フロイスの証言では、信長は自身をご神体と称し、なおかつ偶像崇拝させるため、盆山と称する石を寺院の最も高いところに安置して、信仰対象にしたというのだ。

『信長公記』は「ぼんさん」という石が、安土城の書院に置かれていた、というが、ご神体の信長は安土城で、その代用は摠見寺と考える方が無理はない。

その翌年に、本能寺の変が起きている。

人間は洋の東西を問わず、神仏を超えてしまうと、何よりも己れの姿が見えなくなるもののようだ。

人間の弱さ、切なさが理解できなくなれば、支配していた人々の実態・心中も推し測れず、組織は国家であれ何であっても硬直し、みずみずしい動きを止めてしまう。

〝天下布武〟に邁進しつつも、信長は相次ぐ離反者に悩まされた。

別所長治、荒木村重、明智光秀――云々。

全能の神には、凡夫煩悩（心の迷い）の人間の苦しみ、悲しみなどが理解できるはずもなかった。すべてを覇道＝力で押し切ろうとして、同じく他者の覇道＝力によって失脚、絶命してしまう運命をたどった。

〝鏡〟は一部を映す

前節では、『吾妻鏡』『後鑑』について触れた。鏡に何を映すのか――そこから神仏と自らをダブらせることに記述が進んだのだが、もう一度、〝鏡〟に話を戻したい。

過去に起こった事件や史実を、一つひとつ映すことは、記録に相当する作業であり、時代を超越した人間、人間性こそ映すべきが歴史学だ、との論を述べ、一人ひとりの〝なま〟な人間の生涯をたどることによって、未来への個別な対応もできる、とも述べたが、この鏡に具体的な歴史上の人物を神仏の如く崇めながら、その〝歴史〟を映したとしたらどうであろうか。

『後鑑』が出たからというわけではないが、今川義元の桶狭間と信長の本能寺は同じ原理・原則であったことは、すでに触れた。

だが、二人の描いた神仏――鏡に映した理想の歴史上の人物には、大きな違いがあったように思うのだが、読者諸氏はいかがであろうか。

――具体的に述べてみる。

義元＝足利尊氏、信長＝平清盛＋足利義政である。

義元と信長――この二人がふり仰いだ人物の違いが、その歴史の役割に変化を与えた、とは考えられないであろうか。

義元は信長に奇襲され、討たれたことで、あるいはお歯黒をしていて、輿に乗っていたイメージから、何やら〝風雲児〟信長の引き立て役のように扱われているが、忘れてはならないのは、この人物こそが日本戦国史上、最初の上洛戦を敢行した、と語られてきた点である。

「東海一の弓取り」といわれ、駿河・遠江・三河の三国に君臨した。その出自は、足利氏の分かれである吉良氏からの派生であった。

しかも、彼の官途受領名を追っていくと、おもしろいことに気がつく。

上総介→治部大輔→三河守の昇進。これはそのまま、足利尊氏と同じであった。

しかも「三河守」に任ぜられたのは永禄三年（一五六〇）五月八日、すなわち桶狭間の戦いの十一日前のことである。

上洛して室町幕府を再建したか、禅譲を受けて自らが新将軍になったかについては、意見の分かれるところだろうが、義元は己れの上洛の意義に、足利尊氏を置いて、大いに参考としていたことは間違いあるまい。

では、一方の信長はどうであったろうか。

織田上総介を称していた信長は、永禄十一年に上洛すると織田弾正忠を名乗った。

これは父の信忠も称した官名であり、律令制においては、風俗粛正や犯罪取締りを任務とする、警察官庁の三等官にあたる。上総介が地方官であるのと異なり、中央官庁の役職であったことに特徴があった。

その信長が公卿になったのは、天正三年(一五七五)十一月四日のこと。従三位・権大納言に叙任されたのである。

公家社会では三位以上が公卿で、殿上人、すなわち昇殿が許された。しかも三日後の十一月七日には、右近衛大将をも兼任。これは武家にとっては重要な官職で、かつては源頼朝の別称ともなったほどで、武家の棟梁としての地位を公認されたことを意味していた。

しかし、同月二十八日には、信長は嫡子の信忠に家督を譲与してしまう。

以後、翌天正四年十一月十三日に正三位に叙せられ、同月二十一日に内大臣。同五年十一月十六日には従二位に、二十日には右大臣に任官。さらに昇進して、同六年一月六日には正二位に叙せられた。「正二位右大臣兼右近衛大将」のポストに就いたわけだ。

だが、天正六年四月九日、信長はこれらのポストを突如、あっさりと辞任する。

朝廷の公家たちは、そのあまりにあからさまな扱いに、大きな衝撃を受けた。

天皇以外からの院政

信長は何を考えていたのか――。

天正六年(一五七八)四月に、「正二位右大臣兼右近衛大将」のポストを辞任した信長は、その奉達状に、次のような辞任の弁を述べていた。

「自分は次第に昇進する恩沢に浴すべきかも知れないが、征伐の功も終わっていない。そこで官を辞し、万国安寧、四海平均になれば、改めて登用していただきたい。国家の重臣として、忠節を尽くすだろう。そうすれば嫡男・信忠にも、顕職を譲れる」(意訳)

つまり信長は、昇進および朝廷の儀式にかかる時間と支出を節約したかった、と受け取れる。

では、信長の希望した最終的なポストとは、いかなるものであったのだろうか。

候補は、三種類あった(三職推任(さんしょくすいにん))。

①征夷大将軍(せいいたいしょうぐん)(幕府首長・武門の棟梁)

②関白(天皇を補佐する令外官)

③太政大臣(だじょうだいじん)(律令制による最高官)

まずは征夷大将軍だが、信長が本能寺で死ぬ一ヵ月前の天正十年五月四日、朝廷は勅使(ちょくし)を安土に派遣し、征夷大将軍に推任している。が、信長は回答しないままであった。

なにしろ将軍に就くには、二つの問題があった。

一つは、信長が名乗っている平氏では、慣例上、「将軍」にはなれないこと。

今一つは、追放した十五代将軍・足利義昭がそのまま生きていたこと、である。

次の関白はどうか――公家の最高位だが、これに就くには摂関家(せっかん)でなければならない、との定めがあった。信長には後年の豊臣秀吉のように、公卿の養子になってまで、関白になろうとする気持ちはなかったであろう。

残るは、太政大臣である。平清盛に代表されるがごとく、平氏を名乗る信長が、最も就任しやすいポストであったことは間違いない。

これはあくまで筆者の推測だが、信長は嗣子(しし)の信忠を征夷大将軍に据え、正親町天皇の第一子・誠仁(さねひと)親王を自らの養子として、ついには天皇となし、その双方の上に上皇として、君臨しようと考えていたのではあるまいか。形を変えた「院政(いんせい)」である。

――前例はあった。

日本の歴史では、天皇を退いた者が院政を敷く、との思い込みが強いが、後鳥羽上皇（第八十二代天皇）が北条政子(まさこ)・義時(よしとき)姉弟と対立し、〝承久(じょうきゅう)の乱〟を起こしたおり、天皇になっていない人物が院政を敷いていた。

乱の平定後、鎌倉幕府は後鳥羽上皇の院政を停止。新しい院政のもとで戦後処理をおこなおうとしたが、この時点での「上皇」は後鳥羽上皇の皇子・土御門（第八十三代天皇）と順徳（第八十四代天皇）の両上皇しかいなかった。

これでは処分ができない。

そこで後鳥羽上皇の兄で、安徳天皇（第八十一代）と以仁王の弟、父を高倉天皇（第八十代）、母を前権中納言持明院（藤原）基家の娘・陳子（のぶこ、とも）に持つ、皇子の守貞親王（持明院宮行助入道親王）が「後高倉院」となって、院政を敷いた（のち高倉太上天皇と称する）。このとき守貞は、僧籍にあった。

後鳥羽は隠岐へ、土御門は土佐へ、順徳は佐渡へ、各々流されている。

順徳の子である仲恭天皇（第八十五代）も位を廃され、後高倉院の皇子・茂仁が天皇となっている。これが後堀河帝（第八十六代）である。

承久三年（一二二一）七月九日の受禅、同年十二月一日の即位と記録にあった。

このとき、後堀河は十歳。

貞応元年（一二二二）正月三日に元服。同二年、父の後高倉院が崩御し、親政をおこなったが、貞永元年（一二三二）十月四日、自らの皇子（四条天皇・第八十七代）に譲位し、その後、院政を敷いたものの二年後の天福二年（一二三四）八月六日、二十三歳で崩じている。

蛇足ながら、四条帝は二歳で即位したものの、十二歳で崩御し、第八十八代後嵯峨天皇が後継となったが、この天皇の父は土御門であった。

土御門が四国へ移されてのち、外戚土御門家に寄寓し、僧籍に入る直前、践祚となった。在位四年で譲位したが、息子である後深草（第八十九代）、亀山（第九十代）の二代で院政を敷いている。

このような前例を見ると、信長の院政はけっして不可能ではなかったかと思われる。

無論、そのあたりの歴史＝政治史は、聞き学問で信長自身も、身につけていたに相違ない。

平清盛と足利義政

一方で信長は、八代将軍足利義政の生き方――なかでも茶道をはじめとする、芸術の活用を懸命に学んでいた。信長による「天下一」の称号が、その好例であったろう。

当時、畿内の職人たちの間では、「天下一」を自称する風潮が強かった。「彫物師天下一」「いかけ天下一」という具合に、称号として用いられたのである。

この風潮を背景に、信長は「天下一」の称を職人たちに公認・安堵するようになった。天正九年（一五八一）八月十七日、室町幕府に仕えていた畳師の新四郎に、石見と改名させて「天下一」の称号を許し、書状の最後に〝天下布武〟の朱印を押しているのが、そのいい例である。

こうして「天下一」の称号を与えられた、畿内の職人たち――この時期の日本のハイテク技術者たちを己れの許へ集め、さらに下部組織の職人たちまで掌握して、〝天下布武〟に役立てようとしたことなどは、いかにも信長らしい発想といえよう。

――これらのアイディアの源泉は、実は足利義政であった。

あるいは、信長と盂蘭盆の取り合わせ――『信長公記』天正九年七月十五日の記述に、次のようにある。

「安土御殿主、并びに、惣（摠）見寺に挑灯余多つらせられ、御馬廻の人々、新道・江之中に舟をうかべ、手に手に続松（松明）とぼし申され、山下かがやき、水に移りて、言語道断、面白き有様、見物群衆に候なり」

すなわち、安土城天守および摠見寺にたくさんの提灯を吊るして、馬廻の者たちが城下の新道沿い、あるいは琵琶湖の入り江に舟を浮かべて、手に手に松明を灯した。

安土山の天守や城下は輝き、その明かりが水に映って言葉にならないほどの美しい光景で、見物人が多く集まってきたという。

この日本の「異教徒が盛大におこなう祭」は、フロイスも目撃している。

若干の記述の相違はあるものの、こちらのほうが生々しい。

「例年ならば家臣たちはすべて各自の家の前で火を焚き、信長の城では何も炊かない習わしであったが、同夜はまったく反対のことがおこなわれた。すなわち信長は、いかなる家臣も家の前で火を焚くことを禁じ、彼だけが、色とりどりの豪華な美しい提灯で上の天守を飾らせた。

七階層を取り巻く縁側のこととて、それは高く聳え立ち、無数の提灯の群れは、まるで上（空）で燃えているように見え、鮮やかな景観を呈していた。彼は街路——それは我らの修道院の一角から出発し、前を通り城山の麓まで走っている——に、手に手に松明をもった大群衆を集め、彼らを長い通りの両側に整然と配列させた。

多くの位の高い若侍や兵士たちが街路を走っていった。松明は葦でできているので、燃え上がると火が尽きて多くの火花を散らした。これを手にもつ者は、わざと火花を地上に撒き散らした。街路はこれらのこぼれ火でいっぱいとなり、その上を若侍たちが走っていた」

異教徒の祭と思っているフロイスでさえ、鮮やかな景観と思ったほどであるから、さぞ綺麗であったに違いない。

城下の人々も安土城の盂蘭盆の送り火の美しさに感動し、築城時の苦労もしばし忘れたことであろう。

送り火といえば、京都の大文字五山送り火が有名である。

毎年八月十六日の夜に催される盂蘭盆会（え）の行事で、午後八時から三十分間だけ大文字、松ヶ崎妙法、船形、左大文字、鳥井形に火が灯る。

もともとは各々の家で火を焚き、遠く去った霊が振り返ったときに、自分の家がすぐわかるように、と火を上げていたのが、山の上で火を焚くようになった。

これにも、足利義政が創始したとの説があった。

一般の年中行事になったのは、江戸時代初期のことだという。

政治・外交・経済は平清盛、芸術・文化は足利義政をモデルとしたのが信長ではなかったろうか。

鏡に映す領域を、全体ではなく一部に制限すれば、明智光秀の本能寺の変＝主殺しの弁明に、彼が足利尊氏を用いたことも容易に想像がつく。

光秀は美濃土岐氏の一族とかかわりがあった、と言われている。

その男が主君信長に中国戦線への出陣を命じられながら、途中、反旗をひるがえして主人を弑逆した。

そういえば元弘三年（一三三三）三月二十七日、三千の鎌倉軍を率いた足利尊氏は、隠岐を脱出して伯耆（現・鳥取県西部）の船上山に立籠っていた後醍醐天皇の討伐に向かう途次、京都から丹波路に入って四月二十九日、丹波国桑田郡篠村（現・京都府亀岡市篠町）まで進んだところで突然、幕府に叛逆し、老ノ坂を通って沓掛にいたり桂川をわたって京都へ乱入し、六波羅探題を攻め落とした。

光秀も尊氏とほぼ同じコースをたどって本能寺に到着している。同様に後醍醐帝という主君を裏切った行為にも、信長を弑逆した己れを重ねたに違いない。

部分的な参考、鏡に映す方法は、神仏を超える愚かさはないものの、一面、我田引水的な独りよがりに陥ることが考えられた。

要は、科学＝学問の基本である客観性、冷静さを常に持つことが大切なように思われるのだが、読者はいかがであろうか。

振り子の原理

少し大雑把な言い方が許されるならば、筆者は「歴史の法則」の一つに、振り子の原理を考えてきた。

単純に区分すれば、「共和制」と「独裁制」である。

この二つを対極にして、歴史は〝時代〟をスイングしているのではないか、と思い定めてきた。

日本史を見ても、古代にあったであろう天皇家の親政の時代から、やがて朝廷＝貴族による合議の社会が到来し、その中から藤原氏が台頭して一族の独裁を約三百年、日本史の中世でつづけたことは、明らかである。

そして、武家の時代に入るわけだが、鎌倉も室町も、ときに独裁の権力者が現れるかと思うと、合議の世界へと振り子のように揺れつづけた。

もっともわかりやすいのが、応仁の乱以降の戦国時代であろう。

足利将軍家の権勢は地に堕ち、地方の守護もその権威を相対的に喪失し、守護の代理人たる守護代や地べたを這いまわっていたような国人・土豪層から、実力のある者が出て、〝下剋上〟を遂げ、やがて戦国大名となっていった。

各地に時代を代表する名将や勇将が輩出し、離合集散をくり返して、織田信長―豊臣秀吉―徳川家康の時代を迎える。

だが、泰平の世となって事実上、約三百年の影響力を日本史に与えた徳川幕藩体制も、時代がくだるにつれて、幕府を主宰する老中、あるいは老中に並ぶ権力をもった側用人などの出現によって、ときに独裁制が敷かれた時期もあった。

結果、幕末にいたり、振り子は共和制に振れて戊辰戦争へ突入。明治天皇という権威を創り上げることで、ようやく明治維新を達成し、近代の扉を開くことになった。

しかし、明治天皇が独裁者であったかといえば、けっしてそうではなかったろう。

明治政府で一番の威勢を誇ったのは西郷隆盛であり、政権の実務はことごとく大久保利通によって掌握されている。その西郷は西南戦争で敗死し（享年五十一）、大久保も翌明治十一年（一八七八）に暗殺された（こちらの享年は四十九）。

日清戦争のおり、最後まで開戦に反対したのは誰でもない、明治天皇であった。

にもかかわらず、立憲君主制の議会を楯に、開戦に押し切ったのは、ときの外務大臣・陸奥宗光（むつむねみつ）や陸軍の川上操六（かわかみそうろく）といった人々であった。

政府の主宰者であった——大久保の後継者ともいうべき——伊藤博文（いとうひろぶみ）も、彼ら小壮気鋭（しょうそうきえい）な人々を止めることができず、結局、開戦にいたった。

「このたびの戦争は朕（ちん）の戦争にあらずして、大臣の戦争なり」

明治帝は不快を露わに、明言している。

戦後の補償でも、天皇は政府・軍部と意見を異にしていたが、清国から多くの戦利を得ようとした人々に押し切られて、結局はロシア・ドイツ・フランスの三国干渉をまねき、遼東半島を放棄させられ、国民には〝臥薪嘗胆(がしんしょうたん)〟の流行語を流行(はや)らせる結果となった。

独裁制、共和制ともに時代によって、その力の差というものがあったことは考慮しなければならない。

日清・日露の両役にも大小さまざまな〝力〟、権勢は存在したが、全体からながめた場合、共和制と捉えてもいいのではあるまいか。

日本国民が各々の立場で、懸命に国家の存亡を賭(と)して戦った外戦であった。

ところが、その結果としての〝軍部〟の独走、独裁を、政治は徐々に抑えることができなくなり、やがて大正デモクラシーという反発、抵抗はあったものの、中国大陸への侵略戦争、太平洋戦争へと歴史は進んでいった。

一時期、東条英機が独裁者のように振る舞ったが、その個人はそれほどの資質を持っておらず、〝軍部〟における地位が、虹のような独裁権を彼に与えたにすぎなかった。

〝大元帥〟といわれた昭和天皇も、自身、一度として世界中を相手に戦争をしたい、などとは考えたことはなかったはずだ。

「個」の思惑が重なり、大きくなって組織化され、動き始める。

振り子の振り先

日本史にはこういう、見えにくい――権力がサブスティテュート＝下位へ移譲した形の独裁が、けっして少なくなかった。

戦国の世の〝下剋上〟をはじめ、江戸時代の中期以降の商人の台頭然り。幕末の〝志士〟と称される人々も。彼らは「個」としてはたいしたことはなかったが、それが群れると恐るべき〝力〟を発揮した。

膨張した日本人の思い上がりは、太平洋戦争で萎(しぼ)み、陸海軍は消滅。アメリカ式民主主義を与えられた日本人は、一見、共和制の側に振り子をスイングさせたように見える。

しかし、戦後七十五年以上が経過し、時の流れは間違いなく速度を早め、グローバル化もした。が、近年では頻発する薬物汚染やサイバー犯罪が、人々の耳目を独占している。秩序を震撼させる新たな勢力、脅威が、これから増大する予感を国民の多くは持っているのではあるまいか。

では、先行き不透明な日本は、これからどうなるのか。

筆者は間違いなく、戦前に回帰する、と予測している。

歴史には大きな流れがある。古代↓中世↓近世↓近代↓現代といったもので、この流れはけっして、逆流することはない。したがって、すでに日本人が過去としてもっている

〝戦前〟に、そのまま帰るということはないであろう。

けれども、原理・原則だけを抜き出せば――たとえば戦前を、資本家と労働者の二元でとらえれば、これから先の日本社会における格差の広がりは、同じように国民を、上下に二極化するであろう。

戦前には日給で働く労働者が一定数、存在した。考えてみれば、既存のフリーターの数と、比率的には変わらないのではないか。

戦前の日雇い労働者は大学を出ていないが、今のフリーターは出ている人もいる。それだけの違いでしかない。

もう少しわかりやすくいえば、職人の握った寿司しか食べない人と、回転寿司にしか行かない人に、日本は二分化していく、ということだ。

欲しいものならいかなる代価を払ってもよい、と考える人と、安ければ多少、安全性に問題があっても目をつむる、という人々の格差である。

換言するならば、これからの日本は「アメリカ式格差社会を導入した、戦前のような雰囲気の社会」とでもいえるだろうか。

では、われわれの生活はどのように変わっていくのだろうか。

「水と安全はタダ」

と思い込んできた価値意識が、すでに根底から覆(くつがえ)され、現存のアメリカを追う形で、教育制度が崩壊したのにつづいて、次は医療制度が瓦解し、医療は等しく受けられるもの、との考え方が成り立たなくなり、貧富の差はとめどなく広がっていって、とりわけ二極化した社会が出現するだろう。

ただし、日本はけっしてアメリカの、五十一番目の州にはしてもらえまい。おそらく、やがてアメリカに捨てられ、歴史に見るフィリピンのような姿となるはずだ。

この来るべき時代を、仮に独裁制と捉えるならば、一部の富裕層＝権力者と置くか、治安維持を使命とする警察機構が、安全性の先回り＝〝予防〟を主張して、やがて独走することになると〝読む〟か、それは幾つもの可能性を持っていることに相違ない。

人によっては〝戦前・戦中と同じ、悪夢のような時代〟と、次に来る振り子を思い描く人がいるかもしれない。

しかし、いつの時代も振り子をスイングさせているのは、実はそこに生きている国民なのである。

日本人はなぜ、これほど振り子をブンブンと振り回すのか。

少なくとも日本国憲法は、主権者を国民と定めている。にもかかわらず、その主権者が犠牲者となってきたのが日本という国なのである。

われわれは立ち止まって過去に学び、現在と比較し、真剣に未来を読まなければならないのではあるまいか。

第五章

歴史を動かしたのは誰か

後漢末と元末期の類似性

まずは、歴史の書かれ方について——。

中国の「四大奇書」に、『水滸伝』『金瓶梅』『西遊記』と並んで数えられる大作に、『三国志』がある。

より厳密にいえば、『三国志演義』のことを指した。

今日まで連綿と、読み継がれてきた作品である。

この作品の著者は、羅貫中という人物であるとされているが、この作者については、何一つ明瞭なものが残されていない。

羅貫中の出身は、浙江省銭塘（現・杭州市）という説もあれば、山西省太原（現・山西省中部）を挙げる史家もいる。生没年ともに不明で、元末明初といわれているものの、生存については宋代説から元代説まで幅広く存在した。

中国近代文学の父・魯迅は『中国小説史略』の中で、羅貫中を元末期から明初期（一三三〇～一四〇〇年頃）にかけての人、と推定しているが、これも確たる証拠はない。

ただ、明代の文人・王圻の『稗史匯編』によれば、羅貫中は名医・葛可久とともに、元末期の農民決起軍に参加した、とされている。

ここで興味をそそるのは、この農民決起軍が、後漢末期の「黄巾賊（軍）」と実に類似している点である。

ともに、世直しが大義名分にあり、一種の新興宗教とも思われるむきがあった。

後漢の「黄巾賊」に対して、元末期の農民決起軍は、宗教的秘密結社「白蓮教」が中核となっていた。同志は目印に紅い巾（布）を使用したので、以後、白蓮教徒は「紅巾軍」とも呼ばれるようになる。

中国の研究者の中には、「紅巾軍」の膨張・分離にしたがって軍閥を形成し、一時期、揚子江＝長江の下流に一大勢力を築いた、呉の張士誠の幕客に羅貫中がいた、と論ずる者もいる。

張士誠ははじめ、江北の泰州（現・江蘇省泰州市）で叛旗をひるがえし、のち高郵（現・江蘇省高郵市）に拠っていたが、至正十六年（一三五六）、揚子江を渡って平江（現・江蘇省蘇州市）を陥れ、「誠王」と称してここを国都と定めた。

呉王となった張士誠は、江南各地の地主や富豪と緊密な関係を結び、その財力をも加えていく。

豊かな穀倉地帯を押さえ、海外貿易で巨額の資金を持つ商人を傘下とした呉国（張呉国）は、諸国で勢力を振るった軍閥の中でも最大の国力、つまり、経済的優位性を確立した。

豊富な経済力は戦乱の中にあっても、自由な空気をみなぎらせ、高名な文人・高青邱をはじめ学者や文化人が身を寄せ、活発に活動することにも繋がった。

「羅貫中も、その一人であった」

とするのが、多くの中国人研究者の予断である。

しかしながら、国力に恵まれた呉国では、その財がかえって政治力を凌いで、上から下まで官爵や賄賂を求める風習となってはびこり、綱紀は緩んで、政治的統制力の弛緩は誰の目にも明らかであった。

それにしても羅貫中の生きたとされる時代は、実に後漢末から三国鼎立の時代と酷似していた。

それこそ、歴史はくり返したのであろうが、筆者が述べたいのは、羅貫中は己れの体験した時代の雰囲気、思想、風俗といったものを、『三国志』の肉付けに積極的に使ったのではないか、ということである。

羅貫中が「幕客」にあった、とされる張士誠が呉王を称した同じ頃、揚子江流域の蘄州（現・湖北省黄岡市）から紅巾軍を名乗って蜂起した徐寿輝は、みずからを皇帝として「天完」国を樹立していた。

その勢力は揚子江中流域の要衝・武昌（現・湖北省武漢市）をはじめ、湖北・湖南の各地に広がり、江西方面にまでその支配力は及んだという。「天完」はその後、部将・陳友諒

三国志の主要地図

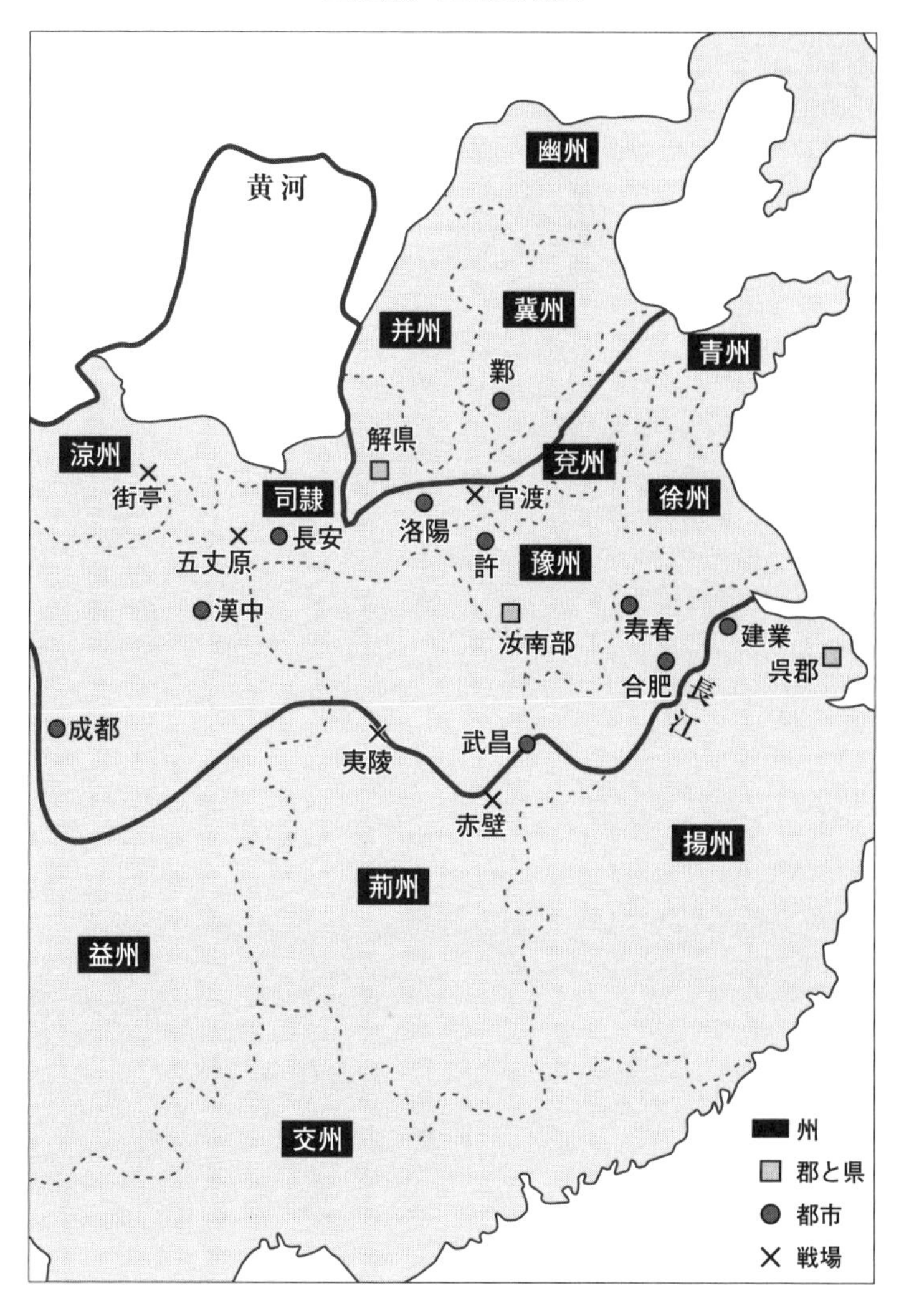
黄河
幽州
冀州
并州
青州
鄴
解県
兗州
涼州
街亭
司隷
官渡
徐州
洛陽
五丈原
長安
許
豫州
漢中
汝南部
寿春
建業
合肥
呉郡
長江
成都
武昌
夷陵
赤壁
揚州
荊州
益州
交州
州
郡と県
都市
戦場

の乗っ取りにより、至正二十年に徐寿輝が殺害され、江州（現・江西省九江）に拠った陳友諒は、ここに「大漢」国を樹て、その勢力はいっそう伸張していった。

一方、のちに明帝国をひらく朱元璋は、揚子江下流を張士誠に押さえられ、揚子江中流から上流にかけては陳友諒に圧迫される、といった二大勢力の狭間で、かぼそく独立を保っていた。

前漢の劉邦と並んで――蜀の劉備も加えるべきかもしれない――中国史上、最も低い身分から皇帝になったといわれる朱元璋は、淮河沿いの亳州（現・安徽省）の貧農に生まれている。十七歳のときに両親や兄などを一時に失い、飢えから逃れるために僧侶となって、淮河流域や淮西一帯を托鉢してさまよった。

孔明のモデルは劉基

「身は蓬のごとく風におわれて止まるところなく、心は滚々として（盛んにわきたち流れ）沸騰する――」

みじめな乞食僧の体験を経て、紅巾軍一方の雄・郭子興の部将となり、朱元璋は滁州（現・安徽省滁州市）を攻略。和州（現・安徽省馬鞍山市）を占領し、やがて、元朝の江南支配の拠点・集慶（現・南京市）を目指すことになった。

この間、首領の郭子興が病死。朱元璋は内部抗争を生き抜き、名実ともにこの方面の、紅巾軍の元帥となった。

至正十八年（一三五八）三月、朱元璋は集慶を陥落させると、ここに地方支配の中心行政機関「江南行中省」を置き、支配体制を短期間のうちに確立する。

だが、前後に強国の圧迫をうける朱元璋は、これら二大強国といかに対すべきかの難問に直面した。万一、二大勢力が連合するようなことがあれば、朱元璋の軍閥勢力などひとたまりもなかったろう。

そこで朱元璋は、各個撃破——まず、陳友諒勢と対決する決意を固めた。

陳友諒を魏の曹操、張士誠を呉の孫権、朱元璋を蜀の劉備、それぞれを建国以前の時代に置き換えると、この間の事情はわかり易い。と同時に、羅貫中の作家としての眼が、どのように事物を追っていたかも明らかになるだろう。

朱元璋が陳友諒に挑んだ「鄱陽湖の大決戦」は、まさしく、『三国志』の名場面「赤壁の戦い」に相当した。

至正二十三年、朱元璋の軍勢は勢いに乗る陳友諒の艦隊を集慶におびき寄せ、これに痛撃を与えると、その勢いを駆って江西に進出し、鄱陽湖上に天下分け目の一大決戦を挑んだのである。

しかし、敵は巨大であり、精鋭を誇る「大漢」の艦隊は容易に崩れない。
それればかりか、朱元璋軍がじりじりと押される始末。この苦境を救ったのが、火攻めの策だった。小舟に火薬を積み、藁人形を仕立てた数隻の囮船のあとから、決死隊がつづき、風上から敵艦隊に突入するという戦法である。

この戦いで、陳友諒は戦死。大漢国は瞬時にして滅亡し、揚子江流域における朱元璋の優位は決定的となった。翌年一月、朱元璋は群臣の推戴を受けて呉の王位に就いた。

張士誠の呉と区別するため、「朱呉国」と呼ばれることになる。

朱元璋は至正二十七年、張士誠をも討滅すると、翌二十八年には応天府（南京）で帝位につき、国号を明に、元号を「洪武」と改めるが、それ以降のことは、本稿の目的ではないので省く。

ただ、朱元璋に天下を取らせたとされる、「劉基」については、ぜひにも一言述べておかねばならない。

人柄は前漢の張良、蜀の諸葛孔明によく似ていた。名家の出で、経学・歴史・理学を修め、天文・地理・兵法から易学まで、およそ学ばなかった学問はない、といわれる学者であった。若い頃、劉基は中国の最難関官僚試験「科挙」に合格し、元朝の官僚となったが、腐敗した社会に馴染めず、ついに故郷（現・浙江省南部）へ隠棲している。

以後、晴耕雨読の生活を十年送り、応天府をくだして意気あがる朱元璋に、それこそ〝三顧の礼〟にも等しい厚遇をもって迎えられた。

――至正二年三月のことである。

朱元璋は劉基を得て、はじめて天下人としての器量をもちえた、といわれている。

筆者は、今日広く定着した諸葛孔明のイメージは、ことごとくこの劉基に拠った、と考えてきた。

朱元璋から、「ぜひ、わが国に――」と望まれた劉基は、最初、その申し入れを断っている。彼には個人としての栄達や、経済上の欲求はさほどなかったのであろう。

心中にあったのは、中華回復の理想だけ――。

それを、朱元璋が懸命に説いた。

「明祖は布衣（ふい、とも・庶人のこと）を以て帝業を成す。その力を得る処は、総て人を殺すを嗜まざるの一語に在り」

と先の張翼は、後年に書き記したが、朱元璋の軍閥は民衆にやさしく、一方で厳粛な綱紀をもって将兵に臨んでいた。このことが、劉基を決断させたらしい。

「（劉基は）急難に遇わば、勇気奮発し、計画立ちどころに定まり、人よく測るなし。暇あればすなわち王道を敷陳す（明らかに述べる）。帝（朱元璋）、毎に身を恭しくして以て

聴き、常に（劉基を）老先生と呼びて名を呼ばず。曰く、吾が子房（張良）なりと」（『明史』劉基伝）

また、「（劉基は）慷慨（いきどおりなげく）して大節（国家や主君に対する大きな節義）あり。天下の安危を論じて、義、色に形わる。帝その至誠を察し、任ずるに心膂（君主を助ける重臣）を以てす。（劉）基を召す毎にすなわち人を屛けて密語し時を移す」ともある。

二人の関係は劉備と孔明の〝水魚の交わり〟と、同質のものであったことが知れる。

劉基と孔明が似ているのは、私利私欲のない、淡白な性格だけではなかった。

天下に志をもち、みずからは野心、私利私欲を抱かず、君主を立ててその指南役に徹して、それで良しとする態度も同じであったといえる。

孔明のファッション

歴史を記録する者は、必ずといっていいほど、記録者自らの体験や記憶の中から、歴史上の人物を述べる過程での、その人物を肉付けする、具体的なモデルを捜し、比較検討して、活用しているものだ。

そのことを、三国志の決定版ともいうべき『三国志演義』——その作者である羅漢中と諸葛孔明のモデル劉基については前述した。

世の中の、一般の人々は歴史を、歴史書で読むことはまずない。人々に歴史を伝えてきたのは、常に物語であり、小説の類いであったといっていい。なぜそうなるのか、概して歴史書はおもしろさに欠けていた。

その証左に、歴史書にはほとんど、その人物を特徴づける描写がない点が挙げられる。言動は書き留められるが、服装や容姿といった具体的なものは、よほどその歴史上の人物を説明するのに必要でないかぎり、明らかにされることは少ない。そのためイメージが具現化せず、印象が淡い分だけ、歴史書は興味を持ちにくい欠点があった。

逆説的にいえば、人々の興味をもつ歴史上の人物は、いつも具体的なイメージをもって語られていた、ということになる。

たとえば、『三国志演義』の諸葛孔明の場合――。

孔明の服装について、羅貫中の『三国志演義』では「羽扇綸巾」という表現がなされている。一般に孔明の姿として、今に語られるイメージといってよい。宋代の『芸文類聚』に引用された裴啓の『語林』には、南征ののち、孔明と渭水のほとりで対峙する、魏の司馬仲達をひきあいに出して、彼が孔明の指揮のようすを探らせたとき、

「素輿（白いこし）に乗り、葛巾（苧麻の頭巾で、男は白、女子は紫色を用いた）毛扇をもっ

て三軍を指揮している」

と聞き、

「（孔明は）名士というべきなり」

と司馬仲達をして、いわしめている。

つまり、仲達は〝敵わない〟、と溜息をついたわけだ。

この際、「羽扇綸巾」と「葛巾毛扇」の別はひとまず置くとして、孔明が軍服＝戎服を着用していなかったところに、著者は力を込めて記述していた。

おそらく北伐の事前軍事演習ともいうべき南征のときも、同様であったのだろう。

軍服のみならず、士大夫（科挙で官職を得た支配層）が頭にかぶる「冠」ではなく、いわゆる頭巾を用いた、しかも手にしていたのは指揮棒でも剣でもなく、「扇」であったというところが、いかにも孔明の人柄、性格の描写として、大きな意味をもっていた。

「扇」については、後漢末から魏晋南北朝にかけて流行した、文人のファッションとして、広く世に知られている。

あたかもわが国において、〝文明開化〟の象徴として、明治・大正期に、山高帽子にステッキの姿が大流行したようなもの。

「風流人から、はては武将までがこれを使用した」

と、南朝宋代の劉義慶が撰した『世説新語』にある。

同書によれば、「扇」は笑うときに口をこれでおおったという。

「扇」の柄には通常、竹や木が材料として用いられたが、高貴な人のそれには玉、犀の角、象牙、あるいは玳瑁（海亀の甲）などが使用されていた。

——一方の「巾」は、どうであったか。

本来は、庶民のものであった。

前漢の時代には、「冠」と「巾」には厳格な階級上の差別があり、「冠」を被ることを許されない庶民が「巾」を頭にのせた。それが後漢も末期になると、〝名士〟と称された人びとの間でも、頭巾をかぶる風習が生まれたようだ。

それだけ、後漢帝国の権威、支配力が低下したことが想像できる。

「礼」が混乱したり、軽んじられるのは、政治体制が揺らいでいることを物語っていた。

「漢末、王公名士多く王服を委てて幅巾をもって雅となす」（『宋書』礼楽志）

とあった。

それが諸処に興った、軍閥の首領たちの中にも浸透していったようだ。

たとえば、曹操の好敵手で華北（黄河流域）の支配権をめぐって対立した袁紹などは、官渡の戦いの敗戦後、「幅巾」と称する頭巾を頭にのせて渡河した、とある。

したがって、孔明の服装もいわば、軽快な流行の先端をいっていたといえるだろう。

司馬仲達が嘆息したのも、厳しい軍中で気軽な服装のままでいて、それでいて軍令の行き届く統率力に、己れにはない時代感覚、力量を読みとったからこそであったのかもしれない。

また、孔明の服装では「鶴氅」も有名である。

鳥羽の道服で、「氅」は鳥のはね。その道の専門家によれば、ダウンウェアの元祖のようなものだとか。形が鶴に似ているところから、その名がついたという。

軍服を着用せずに、風流人の姿で戦場に臨んだ孔明は、一度として、己れが武器を持って戦うという、接近戦はやらなかった。

白兵戦はしない、というのが、孔明の姿勢であったとすれば、これはまた、まことに凄まじい決意——孔明の性格を表記したもの、といえそうだ。

『魏志倭人伝』の食事

衣食住という——後世の記録者の作為、自らの体験や記憶を用いての補完は、〝衣〟だけでは無論ない。〝食〟はもっと、わかりやすいかもしれない。

史実の孔明は、その主君・劉備と食事をしたとき、箸を使っていなかったはずだ。

中国文明の原型が形成されたとされる春秋時代（紀元前七七〇～同四〇三）――この時代を中心に、周末から漢代にいたる古礼について、儒教の事例を収録した『礼記』の「曲礼」の中で、

「黍を食するに箸を以てすること勿かれ」

と記載されていた。

古代中国における主食は、黍（モチキビ）・米・粟・麦（大麦）・豆の五種が基本であり、なかでも黍は別名を「黄米」といって、粘性がある最上等の主食とされていた。

米も伝えられてはいたが、当時の低い農業技術では、主食とするほどの収穫量を上げることができなかった。

ついでに記せば、粟・麦はともに上流・中産階級の主食であって、炊き方が後世の米とは大いに異なっていた。中国の古墳から出土する当時の炊飯器具などを見てみると、まず煮てから、それを蒸籠で蒸したかと思われる。

栄養学の専門家にいわせれば、この炊き方ではビタミンやタンパク質が煮た湯とともに捨てられてしまうので、栄養を摂取するという観点からは、あまり好ましい食事法ではなかった、とのことである。

おそらく、馬・牛・羊・鶏・犬・豚などの家畜や魚（淡水魚）で栄養を十二分に補って

いたのであろう。

哀れをとどめたのは、庶民である。彼らが口にすることができたのは五種のうち、豆のみ。豆の飯に豆の葉を煮詰めたスープが常食とされていた。

中国では春秋、それにつづく戦国時代（二百四十余年間）を通じて、人々は主食を手で食べていた。

孔明があこがれた、管仲の作ともいわれる『管子』の「弟子職」にも、

「飯は手に捧げるように持って食べ、羹（野菜や肉を混ぜて煮た、すいもの）には手をつかわずに箸や匙を用うるべし」

という意味のくだりが出てくる。

飯＝黍飯を指でつまんで食べるのだが、食べる直前にその指や手を、すりあわせるのは不潔に思われるからしてはならない、との注釈もあった。

「飯をまるめて取るな」という前述の『礼記』のマナーもおもしろい。

なぜ、いけないのか。飯をまとめると、どうしても多く取ることになり、腹がへって争うように食べる印象を、周囲の人々にあたえるから避けよ、というのである。

料理を取るときだけ、箸が使われた。さらにいえば、羹の場合、野菜の入ったものは箸を使用し、そうでないものはやはり手でつかんで食べた。

これは料理の盛り方にも、原因があったようである。

古代中国では、飯は食卓をかこむ人々の分がまとめて、一つの大皿に盛られてテーブルに置かれる場合が多かった。

ところが、副食は一人ずつ分けて、配膳の形にして並べる。

配膳＝一人前の食膳にも、ほぼ並べ方が決まっており、黍飯は左側に、羹は右。その外側に膾（なます）（細く切った生の肉）と焼いた肉が置かれた。薬味は外側、調味料は内側である。

肉料理にも細かいマナーがあって、肉料理なら骨付きが左、切り身が右と決まっていたという。

食事の前には手を洗い、食後には口をすすぐ（身分の低い者は手で歯のよごれを取る）ことも、すでにテーブルマナーとして定着していたようだ。

箸談義

歴史の記述が、物語を主体として伝えられてきた弊害について、ことさら三国志時代の衣・食について触れてきた。

古代中国の人々は、『礼記』を読むかぎり、手で五穀（米・麦＝大麦・粟・黍・豆）を食べていたことは間違いない。

春秋―戦国―秦―前漢―新―後漢―三国志の時代――さて、諸葛孔明は「箸」を使用したであろうか。

同時代の倭人・卑弥呼は、手を使ったと考えられる。

文明先進国の孔明も、筆者は手で食べたのではないか、と推理する。

箸が今日のように機能するのは、隋（五八一～六一八）に入ってからのように思われるからだが、読者諸氏はいかがであろうか。

もちろん孔明は、手とともに箸や匙を、用途に応じて使い分けたことも、十二分に考えられた。

もし、仮に孔明が手に、当時は最上といわれた主食の黍を握って口へ運んでいたとすると、「天下三分の計」を語り合う劉備と孔明の食事風景も、イメージが大きく変わるのではあるまいか。

わかりやすくいえば、これが歴史学と歴史を扱った小説の差異である。

蛇足ながら、孔明の食膳にいちおう、羹用にそなえられていた箸は、横に並べられていたであろうか。それとも縦であったのだろうか。筆者は三国志に関する本を書きはじめた頃から、このことが気になってしかたがなかった。

現代の日本では、箸は横に置くが、中華料理の正統は箸を縦に向けて置く。

いったい、いつからこの違いは生まれたのであろうか。

邪馬台国を経て、〝謎の四世紀〟を超えて大和朝廷の世となり、中国の箸が日本へもたらされる。じつは当初、中国でも箸は横に置かれていたのである。

その証左に、箸を椀の上に横へ置く習慣が、中国には長くつづいていた。

現在の日本では箸を椀の上に、横に置くのは下品なことだとされている。が、これは歴史学上は本末転倒で、目上の人と会食をした際、相手より先に食べ終わったとき、身分の低い者は謙遜の意をあらわすために、自分の椀の上に箸を横に置いたのであった。

このことは少なくとも、歴代王朝の中、宋（九六〇～一二七九）の代までは、テーブルマナーとして実行されていた。

その習慣を、

「愉快なことではない」

といい出したのが、明の太祖＝朱元璋であり、このマナーを皇帝が嫌ったために不作法になった、との説もある。

――三国志の時代に、戻ろう。

この時代、宴会は茣蓙を敷き、その上に座って飲み食いをした。料理は短い足のついた膳の上に食べものが、エチケットによって、定められた通りに並べられていたわけだ。

箸は横を向いていた。日本では、この中国伝統の様式を輸入し、奈良―平安―鎌倉―室町―江戸―明治―大正―昭和―平成―令和と受け継いできた。

この間、変化したのは椀の上に箸を置いたり、椀の向こう側に置いたものが、手前に定着したこと。箸を横に置くという、基本は揺るがなかった。

ところが本家の中国では、唐と宋の間に「五代十国」と呼ばれる混乱の時代がはさまってしまう。

北方の騎馬民族がたえず中原（黄河の中・下流域）をうかがい、漢民族を迫害して、ときには支配権を握り、中国の衣・食・住の変更を強要した。

箸の置き方と併行して、テーブルと椅子の生活様式、フォークやナイフをつかう食事が中国へ流入する。

いうまでもなく、フォークやナイフは先がとがっていてあぶない。食事のときは先端を向こうにむけて縦に置いた。これは、洋の東西を問うまい。

筆者は、これこそが箸の向きを縦にかえた主因ではなかったか、と疑っている。

チンギス・ハーンの即位（一二〇六年）に端を発した蒙古による中原の支配、元の登場はそれを決定的にしたのではあるまいか。

劉備と孔明の会話は成立したか

――余話がすぎた。話を歴史の書かれ方に戻そう。

衣食住の〝住〟については、いまさら述べるまでもあるまい。

三国志の時代と羅貫中の生きた元末期が、同じであるはずはない。

それより、重大なことがある。言葉だ。

『三国志演義』の中では、孔明と主君の劉備は、それこそ〝水魚の交わり〟よろしく、親しく会話を交わしている。が、これも後世の創作といって差し支えあるまい。

「山東大漢（シャントンターハン）」

といういい方が、今も中国には残っている。

山東（さんとう）省の人は大男が相場だ、との意味だが、この山東＝現在でいえば山東省沂水（ぎすい）県＝遠くは瑯琊（ろうや）郡陽都（ようと）に、諸葛孔明は生まれていた。

地方官・諸葛珪（けい）（字（あざな）は君貢（くんこう））を父とする孔明は、幼くして父母を失い、十四歳のときに弟を連れて叔父の諸葛玄を頼って、荊州（けいしゅう）（現・湖北省）へ流れてきた。

やはり、背丈は高かったようだ。「身長八尺」とあるから、当時の一尺＝約二十三センチで換算すれば、約百八十四センチあったことになる。

同様の計算によれば、劉備は約百七十三センチと少し低いが、それでも百五十センチ台が平均のこの頃、二人はともに、群を抜いた巨漢であったのは確かなようだ。

劉備と孔明が相まみえて、孔明が「天下三分の計」を説いたことは、よく知られている。けれども、筆者が以前から疑問に思っていたのは、このとき両名がどのような方法で、互いの意思疎通をはかったか、であった。

劉備は北の涿県（現・河北省涿州市）の人である。

各地を流浪して、諸国の軍閥のもとに寄寓しつつ、最後に交通が開けた穀倉地帯の長江中流＝荊州に勢力を張る劉表のもとを頼った。そして、ここで孔明と劉備は邂逅するのだが、はたしてこの二人、言葉が通じたのだろうか。

孔明は頭脳明晰であり、年齢も二十七歳と若いところから、おそらく、現在の語学好きな日本人が、フランス語やスペイン語を話すぐらいには会話をし、読み書きも可能だったかもしれない。

しかし、劉備は荊州に来てわずかに六年、歳も五十に近かったから、日常会話はついていけても、孔明が説くところの「天下三分の計」は、言葉で説明を聞いても、理解できたとは到底思えない。

このようなことを述べると、奇異に思われる読者がおられるかもしれない。双方ともにおなじ、中国人ではないか、と。

だが、それは今日の感覚である。

たとえば日本も、明治維新以前には、今日の日本人は存在しなかった。いたのは、それぞれ江戸人であり、薩摩人であり、会津人であって、幕藩こそが国家であり、日本全体を国として理解する認識には乏しかった。

日本で共通語教育がはじまるのは、明治以降であり、その効果（是非はともかく）は、昭和も後半に入ってようやく結実したばかりだ。

中国は日本に比べると、桁違いに広大である。

劉備と孔明が出会ったとき、劉備は現在の北京語に似た華北の言葉を話したであろうし、孔明は山東語を母国語としていたはずである。

荊州は、楚語に分類できたであろうか。

この三種の言語は、系統さえ異なるほどに、発音も表記も違う。

加えて、中国語は一語一語が短いため、同音異語の混乱も激しかった。筆者は口頭の音だけでは、とても劉備と孔明の会話は成立しなかった、と考えている。

孔明が山東語と楚語を行きつ戻りつ、筆と紙をとって逐一文章にし、劉備の顔色をうかがいながら、その理解のほどを確認しつつ、話を進めたのではないかと思う。

漢文の文章表現は、木簡や竹簡によった時代に、すでに完成されていた。そのため、筆談によって高度な内容を、相互に交わし合える技術が発達していたであろう。無数ともいえる方言併立の、古代中国において、こうしたことがさほど問題視されなかったのは、裏を返せば、書く意思・情報の伝達の術が大いに広まっていたからにほかならない。

あるいは、劉備の最期の言葉＝遺言も、孔明は筆談によって理解したのかもしれない。ことほどさように、実際の歴史と小説の世界は相違していた。

関羽は馬泥棒だった

――三国志のつづきである。

無名の劉備のもとに、もっとも早く馳せ参じたのは、河東郡解県（現・山西省運城市）出身の関羽だった。字は雲長で、もとの字を長生といった。

関羽については、「亡命して涿県奔る」（陳寿著『三国志』関羽伝）とある。

ところが、なぜ、逃亡してきたのかは、触れられていない。

これは筆者が中国旅行中に、ガイドさんから聞いたことなのだが、河東郡解県には文字通り、〝解池〟と呼ばれる塩湖があったらしい。

今でも、きわめて品質のよい塩を産出していることで知られているとか。

三国志の時代以前、正確には前漢帝国の建国以来、塩は国家による専売品であり、「塩官(かん)」(官営製塩所)を設け、国家財源の基本としていた。同じ性格のものに、鉄がある。

多くの国家や地方軍閥政権においては、これら二つの産出品は専売制であった。

いうまでもないことだが、塩は人間にとって生活必需品であり、鉄は武器製造の要(かなめ)であったから、国家はこれを個人に売買を任せるわけにはいかなかったのである。

むろん、価格も統制したであろうし、一般には入手しにくい仕組みになっていたに違いない。

後年、劉備亡きあとの蜀政権の再建を図るため、丞相(じょうしょう)の諸葛孔明も、この塩と鉄の専売制をより厳しくしている。

酒が禁酒令によって出まわらなくなると、反社会的組織(シンジケート)が派生した。日本の第二次世界大戦後の闇市もまた、然りである。

塩の流通に制限が加えられていたとすれば、当然、それをかいくぐって〝闇〟で塩を取り扱う人間が出てきてもおかしくはなかったはずだ。

鉄を製造するには、かなり大がかりな設備・機械やまた技術も必要であったろうが、塩ならば鉄に比べ、造作もなかったろう。

問題は官憲の目をいかに逃れるか、あるいは他の密造・密売のグループと、どれだけうまく共存してやっていけるか、といったことが重要となる。

こうした闇の世界は、今も昔も力と度胸次第――。

関羽はこの塩の密売にかかわっていたか、と思われる。これは筆者のみの、偏見と独断ではない。

すでに関羽を塩の密売関係者とする説は、中国でもかなり有力となっていた。

ただ、関羽は歴史を超えて、〝中華〟の世界では神さまとなっている。そのような説が、表だって許されるはずもない。

ここにも、創られた歴史人物がいたことになる。

考えてみるとよい。関羽は劉備よりも年少だったから、ざっと逆算して、涿県に逃亡したのは、ほぼ二十歳すぎということになる。

劉備にしても、関羽にしても、世の中をいささか斜(しゃ)に見て、生きてきた人間であった。何をしていたか知れず、あえて逃亡の理由が語られていない関羽より、塩の密売人としたほうが、真実の関羽に近いと筆者には思えるのだが……。

ところで――。

長い歳月の末、民衆のなかに溶け込み、代々伝承されてきた幾つもの三国志を、中国では「柴堆(さいたい)三国(志)」と称した(『中国小説論集』)。

「柴堆」とは、読んで字のごとく、柴を積みあげた山のことをいい、おそらく、農民たちが労働の合間に、一息いれながら相互に、それこそ思いついた三国志の物語、創作話を語りあったのだろう。

　こうした「柴堆三国（志）」のなかには、劉備・関羽・張飛の意外な出会いを語ったものも少なくなかった。

　たとえば、張飛は肉屋をやっていて、その店先に数百斤（きん）（一斤は五百グラム）という、たいそうな分銅を置いていた。そしてこの分銅をもち上げることのできた者には、肉代はタダにすると宣伝したというのである。おそらく、人寄せのためであったろう。

　もちろん、簡単にもち上げられる重さではなかった。

　そうしたところへ、逃亡中の関羽が店先を通りかかる。

　どうやら関羽は、この分銅を持ち上げたらしい。

　おもしろくないのは、張飛である。二人は店先で喧嘩をはじめ、それを仲裁に入ったのが、草鞋（わらじ）売りと蓆（むしろ）織りを生業（なりわい）としていた劉備で、仲直りした関羽と張飛は、桃の木の下で劉備と義兄弟の盟約を結んだ、というのだ。

　また、「柴堆三国（志）」には、関羽の姓は本当は馮（ひょう）であり、名は賢（けん）、字を寿長（じゅちょう）とする、といったものもあった。

　若い頃の関羽があまりの乱暴者で、手を焼いた両親が関羽を小屋に閉じ込めておいたところ、関羽は難なく戸を破って逃げ出した。途中、権力者に無理無体を強いられて泣いていた娘を救い、権力者を殺して逃げたとき、関所で役人に名を問われ、とっさの機転で「関」と答えたのが、関羽の由来だというのもあった。

ばかばかしい、とお思いの読者もいようが、もう少しお付き合いいただきたい。

異説、珍説の『三国志』

次のような、異説・桃園の誓いもあった。

劉備、関羽、張飛の三人が意気投合し、それでは義兄弟の縁を結ぼうということになった。が、一番の兄貴分になりたい張飛は、

「年齢順ではなく、どうだろうか、この桃の木にとびあがり、もっとも高いところへぶらさがった者を、長兄、次を次兄、もっとも低かった者を弟としようではないか——」

と提案した。

劉備と関羽は、ふたつ返事で同意する。

張飛は必死の形相で、桃の木の高い位置にとりついた。

関羽は、適当な枝にぶらさがった。

劉備はといえば、飛びあがりもせず、桃の木に寄りかかっているだけである。

「これで、俺が長兄だな」

うれしそうに張飛が叫ぶと、劉備は静かにいった。

「それはおかしいのではないか。木は土から上へ伸びている。天空から下へ伸びている木があるならいざ知らず、下から上に伸びるのなら、頂上は木の根元ということになるはずだ」

おかしな理屈だが、張飛はしまった、と思ったようだ。

この結果、劉備→関羽→張飛の順が決定したという。

「桃園に宴(うたげ)して三豪傑、義を結ぶ」

という『三国志演義』の名場面は、もとより架空のものであろうが、若き三人の無法者(アウトロー)が桃の木の下で、稚気をもってたわむれていたことは考えられなくもない。

関羽と張飛に邂逅(かいこう)した前後、劉備は馬商人に人物を見込まれて、今風にいえば五十頭の馬の行商隊に、野盗などから馬を守る警備員(ガードマン)として雇われる。

手下はおそらく、この馬商人が出した支度金で集めたのだろう。そこへ時機(タイミング)よく、戦乱＝黄巾の乱が勃発した。

劉備は馬商人に断わったうえで、ガードマンに雇った人びとをそのままひき連れ、一旗揚げるべく戦乱のなかに飛び込んでいく。

――劉備の登場が〝馬〟だったように、その転換期を彩ったのも〝馬〟であった。

諸国を流浪したあげく、荊州の劉表の許に身を寄せた劉備は、張武、陳孫の反乱を、劉表の代理人として平定し、張武の乗っていた「的盧」と称する名馬を手に入れた。

劉備はその名馬を劉表に贈ったが、家臣のなかに、

「この馬の目の下には涙槽があります。額の一辺に白点があり、そのため〝的盧〟といい、主人に災いをもたらすとされています」

そういう者があって、劉表はこの名馬を受け取らず、劉備に返した。

劉備の許でも、「的盧」を凶馬という者がいたが、劉備は気にすることもなくこの馬に乗る。しばらくたって、劉表の謀臣・蔡瑁が劉備の存在を恐れ、亡き者にしようとして刺客を放った。追い詰められる劉備の前に、激流が阻む。乗っているのは的盧だ。

ふと、凶馬の思いが胸をよぎったが、劉備はこの激流を的盧をはげましつつ翔ぶ。

そして、孔明を知るきっかけとなる、水鏡先生のところへたどり着いた、というのが『三国志演義』の筋書きであった。

今一つ、的盧には重要な役割があった。

劉備にとって最初の軍師・単福（徐庶として知られる）に、

「的盧はかならず主人に災いをもたらしますが、逃れる法がないわけではありません。ひ

とまず家臣の誰かに与え、災いを一度起こさせてから、改めて引き取れば厄を払うことができます」

といわせている。劉備は単福の言葉に顔色を変え、珍しく語調厳しく単福にいった。

「自分の安全や利益のために、人をおとしいれる話など聞きたくはない」

三国志ものにかかわらず、中国においては史劇で、英雄・豪傑とその名馬を一対にして表現することが、いわば類型化されていた。

たとえば、前漢の劉邦と戦った楚王・項羽には「烏騅馬」があり、南朝の名将・岳飛にも「白龍馬」があった。『水滸伝』の宋江にも、「昭夜白」という馬がいた。『三国志演義』では、劉備の「的盧」より、関羽の「赤兎馬」のほうが有名であったろう。

この赤兎馬はもともと、三国志の中で最強と思われる、呂布の愛馬であった。彼の滅亡後は、曹操に飼われていたのを、関羽が一時期、劉備と離れて曹操に降参したおり、曹操が関羽に与えたことになっている（『三国志演義』）。

赤兎馬は関羽が討たれた後に、呉軍の手に落ちたものの、孫権に献上されても秣を食おうとせず、数日後に死んだという。

史実とすれば、赤兎馬は稀有な長寿、生命力をもっていたことになる。

が、『三国志演義』も「柴堆三国志」も、しょせん、創り話にすぎない。

「正史」の欠落

歴史の書かれ方について、『三国志』を例に挙げて幾つか見てきたが、「柴堆三国（志）」のような民間伝承は、いずこの国、いつの時代においても存在した。

これを歴史学では、「稗史」と称する。

「稗」は民間の伝説、説話を集めて国王へ奏上する、古代中国の役職「稗官」からきた言葉で、いつの間にか、官に対する稗＝いやしいもの、との語感がもたれるようになった。

この区分の中には、当然、現在の小説も含まれた。

これまでにも見てきた、「正史」に対する対語といってよい。

日本の場合、国家が編纂した正式な歴史書を「正史」と称してきたが、わが国においては律令制が敷かれて以来の、六種類の歴史書を「六国史」と称した。

『日本書紀』養老四年（七二〇）成立、神代より持統天皇十一年（六九七）八月にいたる歴史書。舎人親王（天武天皇の第三子）らの撰。

『続日本紀』延暦十六年（七九七）成立、文武天皇元年（六九七）から延暦十年（七九一）までを収録。藤原継縄（藤原南家・豊成の子）らの編纂。

『日本後記』承和七年（八四〇）成立、延暦十一年から天長十年（八三三）までを収録。藤原緒嗣（藤原式家・百川の子）らの編纂。

『続日本後記』貞観十一年（八六九）成立、天長十年二月から嘉祥三年（八五〇）までを収録。藤原良房（冬嗣の子）らの編纂。

『日本文徳天皇実録』元慶三年（八七九）成立、嘉祥三年三月から天安（てんなん、とも）二年（八五八）八月までを収録。藤原基経（長良の子、良房の養子）らの編纂。

『日本三代実録』延喜元年（九〇一）成立、天安二年八月から仁和三年（八八七）八月までを収録。藤原時平（基経の子）らの編纂。

これら「六国史」は、歴代天皇の事績を中心に編纂されているところに特徴があった。〝列伝〟である。おそらく人間は、歴史を社会背景（ハード）でとらえるよりも、人物（ソフト）主体で理解するほうが得意なのであろう。

無論、これらの記述方法はことごとく、中国から伝来した。鎌倉幕府の正史『吾妻鏡』も、室町幕府の正史『後鑑』、徳川幕府の正史『徳川実紀』も、ことごとく歴世の将軍を中心に書かれていた。

政権担当者の事績を中心とするのが「正史」ならば、民間の風聞を人物中心に集めたのが「稗史」といえる。

その二つに加えて、歴史の世界にはもう一つ、「野史」が存在した。官＝お上が編纂したのではなく、在野の人々によって編まれた歴史書のことである。

「私撰」の歴史書といってよく、学術論文を書く場合などでは、「稗史」と同様、まったく引用、研究の対象とされてこなかった。

一言でいえば、信用できない、ということだ。

しかし、「歴史は勝者がつづる」という常識からすれば、「正史」が信用できて、「稗史」や「野史」はまったくの論外だ、というのは、いかがなものであろうか。

この章でも見てきたごとく、人々に歴史を語ってきたのは、むしろ「稗史」「野史」であったことは明白であった。今日風にいえば、小説やうわさ話の類である。

——ここが、難しいところであった。

逆説的に言い換えるならば、人々は「正史」を読まず、なぜ、「稗史」「野史」に目を向けてきたのか。「正史」には、二つの視点が欠落していることが大きかった。

一つは、勝者がつづる一方において、敗者がつづられてこなかった点。つまり敗者の言い分はけっして、「正史」には反映されていない。

もう一つは、勝者＝為政者、支配者と置いた場合、対局にある支配されている人々の主張——被支配者、一般庶民の言行も、記述されることはなかったからだ。

ところが、勝者に比べて敗者の数は実に多い。勝者の中の敗者、敗者の中の勝者も、結局は敗者の中にふくまれてしまうから、数のうえでは圧倒的に多いのは敗者ということになる（傍観者も、消極的敗者といえる）。

『正史』はそれらの思い、〝声なき声〟を酌み取れない。

したがって、大多数の人々は勢い、「稗史」「野史」に目を向けることになる。加えて、勝者＝「正史」は、自分たちの都合の悪いことは隠蔽し、加筆訂正をして、ときに歴史をねじまげてしまうこともあった。

日本史においても、古くは政変に敗れた皇族が不当に評価され、近くは「東京裁判」（極東国際軍事裁判）における裁判のプロセスと結審――負けたものが、すべて悪いのだ、という記録の論法は、それこそ枚挙に暇のないのが〝歴史〟である。

抹消されたがゆえに、小説で蘇る歴史上の人物は、ときに魅力的であり、歴史的事実を超えた想像によって、凄まじい活躍を担った。

赤壁の戦いの虚と実

わかりやすいのが、『三国志演義』における諸葛孔明であろう。

〝三顧の礼〟をもって、劉備にまねかれた孔明は、魏の曹操に追われて絶体絶命の劉備を救うべく、呉の孫権との同盟、対曹操戦の実行を迫るため、鄱陽湖の入口にある柴桑（現・江西省九江市）に説得におもむく。このとき、孔明は二十八歳。孫権は一つ下の、二十七歳であった。

荊州を占領し、八十万（実数は二十余万）の水陸軍を擁する魏軍に、呉軍十万（実数は五万）は戦々兢々としていた。降伏論が大勢を覆っている。

通説ではここへ乗り込んだ孔明が、弁舌を振るって降伏論を退け、孫権に開戦を決意させたことになっているが、実際はいささか異なる展開であったようだ。

すでに呉軍の最高司令長官である周瑜、それに次ぐ魯粛らは徹底抗戦を唱え、詳細に戦力分析も終え、疲労と土地不慣れによる曹操軍が、実勢ほどには役立たない、との結論を導き出していた。

孔明はいわば、主戦派のダメ押し役を引き受けたにすぎない。彼は孫権にいった。

「もし、呉軍で十分に曹操の大軍と対抗できるとお考えなら、一刻も早く戦うべきです。とてもかなわぬと認められるなら、早々に降伏、臣従されることでしょう。中途半端では、王がお国を失われる日も間近と存じます」

孫権は、劉備殿はどうするのか、早く降伏すればよいではないか、と問う。

孔明は待ってましたとばかりに、

「戦国のときの田横は、斉の一介の壮士にすぎませんでした。ですが、義を守って国の滅亡に殉じました。わが劉備は漢皇室の末裔であらせられるうえ、その英名は天下に聞こえており、心ある人びとから仰ぎ慕われております。その劉備にして曹操の野望を阻止しえないときは、それは天命というもの。潔く世を棄てられるお覚悟ではあれ、曹操の風下に立つ道理がございましょうか」

孫権は孔明の挑発に乗った形で、曹操との抗戦に最後の断を下した、というのが真相であった。ただ、このときの孔明の外交術は、一面、実に見事なものであったといえる。

進退きわまった劉備にとって、孫権は生き残る最後の機会(チャンス)であったはず。

それだけに、こうした状況下での外交の場合、劉備の代理人である孔明は、呉王孫権に飛びつくようにして手を執(と)り、ひざまずいて拝み、こびへつらう交渉を展開してしかるべきであっただろう。

ところが孔明は、挙措(きょそ)(動作)こそ温雅であったものの、悪びれることなく終始、堂々たる姿勢を保った。

「赤壁の戦い」を目前にして、呉軍の最高責任者の周瑜は、孔明と顔を合わすうちに、そのあまりに優れた才覚に恐れおののき、呉の将来のため、今のうちに口実を設けて孔明を謀殺しようと考えた、と諸書にある。

軍議の席上、周瑜は、

「矢が不足している。ついては十万本の矢を、ここ十日ほどの間に準備していただきたいのだが――」

と孔明にもちかける。

孔明は「十日も不要、三日もあればよいでしょう」と答えた。周瑜は、

「軍中、戯言（冗談）スルコトナカレ」

と切り返し、孔明に軍令状を書かせた。思うツボである。

軍令状は、命令に違約した場合、処罰を受けてもよい、と誓約したもの。

万一、十万本の矢が三日間で集まらなければ、周瑜はそれを口実に孔明を処罰できる。

周瑜は三日後を、心待ちにした。

にもかかわらず、孔明は動かず、ようやく三日目の夜、船足の速い小船を二十隻ばかり用意すると、三十人ずつの兵を乗せて魏の陣地に向かった。小船には草束を積み布で覆い、魏の陣に近づくやいっせいに船上から太鼓を打ち、大喚声を上げさせる。

不意を突かれた魏軍は、声や音のする方向をめがけ、闇雲に矢を射かけた。

孔明は頃合いを見て船を引き揚げさせると、二十隻の船の草束には、十万本を超える矢が突き刺さっていたという。

「孔明の神機妙算、吾ハシカザルナリ」

周瑜は感心するとともに、孔明殺害の機会を失してしまった。

よくできた話である。が、およそ近代以前の水上戦は、火矢を射かけて戦うのが定石とされていた。赤壁の戦いがそうであったし、後世、羅貫中が『三国志演義』を書くおり、参考にしたと思われる朱元璋の「鄱陽湖の大決戦」もまた同様であった。

常識的に考えて、孔明の草束を積んだ二十隻の小船などは、火矢を射かけられれば、ひとたまりもなかっただろう。

もっとも、清朝時代の張澍が編集の「諸葛忠武侯文集」(孔明兵法の原本)には、孔明は水に浸けた布をあらかじめ船に積み、それによって火矢の消火に当たるよう、指示していた、と記した項もあるにはあったが……。

とはいえ、赤壁の戦いを前に集結した魏軍は、公称八十万の兵力である。

闇夜であれ、霧が立ちこめていようとも、いっせいに火矢を放った場合、二十隻の小船が無事に帰還できるはずがない。

孔明の生涯には、この類の話が多すぎた。

赤壁の戦いの真相

——火矢の、話のつづきである。

『三国志』の「注」に引かれた『魏略』によると、建安十八年(二一三)の正月、曹操が孫権を濡須（現・安徽省巣湖市）に攻め、一ヵ月以上も対峙したが、容易に勝敗が決しない。あるとき、孫権が曹操の陣立てを偵察すべくやってきた。曹操は矢の雨を降らせ、孫権の船は側面に、魏軍の矢を多量に浴びて、片側へ傾くほどのありさま。

今にも転覆しそうになったところで、孫権はすぐさま船を方向転換。反対の側面を魏軍の矢面とした。

当然のことながら、魏軍の攻勢は激しい。船の反対側にも無数の矢が突き立ったことで、かえって均衡を得た孫権の船は、無事、味方の陣に生還することができたという。

同じ戦話が、『三国志平話』では、矢の「借り主」が呉の周瑜となっていた。

最終の場面で、

「丞相（曹操）殿、箭（矢）は有難く申し受けました」

と周瑜がいうのがオチであった。

羅貫中はこれらを参考に、『三国志演義』で矢の「借り主」を孔明に仕立てたにすぎない。ついでながら、赤壁の戦いの立役者で、孫権の政権を支えた周瑜と、劉備の軍師・孔明の対立は、先述の「奇謀を用いて孔明箭を借る」をはさんで、周瑜のほうから三度も孔明に挑戦を仕掛けられていた。

一度目は赤壁の戦いに南下する曹操軍の糧道を断つ、と称して周瑜は孔明に出撃を要請。

その狙いは、曹操に孔明を殺害させようとしたのだが、孔明は周瑜の意図を見抜いて軽くいなしてしまう。

二度目が、十万本の矢の一件である。

三度目は孔明が祈願して、火攻めのために風を起こしたとき、天変地異をあやつる孔明に恐怖した周瑜は、一隊の兵を派遣してこれを暗殺しようとした。が、孔明は兵の来るより一足先に小舟で去って、ついに三度とも周瑜の目論見は果たせなかった。

――これが、「三殺」である。

さらに孔明は、こうした仕打ちに対して、周瑜を〝気〟によって三度襲った。

まず、赤壁の戦勝ののち、孔明は混乱をいいことにして荊州を手に入れた。負傷していた周瑜は激怒して、傷口を広げて失神してしまう。

二度目は、劉備に孫権の妹を娶わせることを口実に、劉備を人質に取り、そのうえで荊州と引き替えにしようと企てた周瑜に対して、孔明はこの策略を察知すると、劉備には孫権の妹を娶らせ、しかも無事に劉備を引き上げさせることに成功する。

周瑜はまたもや孔明にしてやられた、と怒りのあまりに古傷がふたたび裂けて、悶絶してしまう。

そして、三度目＝〝三気〟――通過する体（ふり）を装って、荊州を奪取しようとした周瑜の策を、孔明は見破り、ついに三度目の怒りに燃えた周瑜は、またもや古傷を破って落馬。

そこへ、孔明から周瑜を揶揄する手紙が届く。

「敵は曹操であることを、お忘れでしょうか」

一読して周瑜は深い溜め息をつくと、ついに息絶えてしまった。

とても、この男には敵わない、と観念したのだろう。

これらは『三国志演義』の作り話で、ヒーローの孔明を際立たせようとする作者・羅貫中の作為でしかない。

けれども、こうした虚々実々のかけひきは、形を変えて孫権と劉備の間で、おこなわれたに違いない。「正史」と「稗史」「野史」を考えるうえで、無視できないのがこの〝史角（歴史を見る角度・筆者の創見）〟であった。

ちなみに、『後漢書』の「郡国志」によると、後漢の荊州の実態は七郡、総戸数百十八万七千百十、総人口六百二十六万五千九百五十二人。このうち、最も大きな郡である南陽郡の大半は、曹操の勢力圏内にあり、江夏郡は劉表の長子・劉琦の支配下ではあったものの、残る五郡――南郡・零陵郡・桂陽郡・武陵郡・長沙郡（人口三百五十六万八百七十人）は、曹操の南下によって一度はその支配下となった。

それが、赤壁の大敗によって精鋭十万人を失い、加えて、南方平定の拠点・荊州も劉備と孫権に奪取されてしまったのだ。

もともと、荊州は主力軍を構成した呉軍が、手中にすべき戦利の地であったといっていい。にもかかわらず劉備たちは、混乱に乗じていいわば火事場泥棒的に、四郡（武陵・長沙・桂陽・零陵）を手に入れた。

さらには、荊州の北部から南部へ流入する人びとを養う名目で、呉の臣・魯粛の口添えを得て、南郡をも借用する。

周瑜が没したのは、まさに劉備が荊州の五郡を押さえたときであった。

「一発逆転」の作為

魏の曹操が天下統一に燃え、一挙に呉と劉備の勢力を根絶やしにすべく、南下して挑んだ「赤壁の戦い」は、世上、数におごった曹操の隙を、呉の周瑜が的確に突き、火攻めの策で一網打尽にした。このため曹操は、天下統一をあきらめて、当面、国力の回復に専念しなければならなくなった——と語られてきた。

歴史学になくて、歴史小説にのみ存在するオール・オア・ナッシング（すべてか無か）の極端な作為が、こういったところにも如実であった。

読者には、冷静に考えていただきたい。わずか一度の敗戦——たとえ、実数二十万の曹操軍が、半分を失うほどの潰滅的打撃をこうむったとしても——それによって、この敗戦だけが原因で、すぐさま曹操は、華北経営に専念するようになった、南下を諦めた、と考えたのであろうか。

——ほかにも、理由＝原因があったのではないのか。

『三国志』の「武帝記」に、次のようにある。

「公（曹操）は劉備との戦いに不利であった。疫病が大流行し、多くの死者を出したため、公は兵をひいて帰還した」

同様の疫病については、劉備の「先主伝」にも、赤壁の戦いで勝利した劉備と呉軍は、水陸から追撃戦をおこなったことに言及して、

「また当時、疫病が流行し、死者が続出したので、曹操の軍勢は撤退せざるを得なかった」

と記していた。

孫権の「呉主伝」には、「（魏の）兵士たちは飢えと疫病で大半が死んだ」と、やはり同一の述懐が見られた。

どうやら、一発勝負の海戦＝戦術で敗北したから、曹操は壊滅的打撃をこうむったのではなかったようだ。

では、これらに記述されている疫病とは、どのようなものであったのか――。

――風土病との見解が、圧倒的であった。

「住血吸虫病(じゅうけつきゅうちゅうびょう)」

というらしい。

巻き貝をはじめ、諸々の貝類を媒介とする寄生虫（住血吸虫）によるもので、下痢をともない、肝硬変を併発。体力が衰弱して、抵抗力の弱い者はそのまま死ぬという、実に厄介な風土病であった。

古来、長江沿岸はこの風土病の地であったらしい。

現代ではほぼ絶滅したようだが、近代以前の風土病発生率は、平均して住民の約半分に達していた。

地元の人々には、免疫があったからいいようなものの、曹操の率いた北方出身の将兵たちには、たまらなかったであろう。『三国志』の「周瑜伝」には、

「孫権は周瑜、程普(ていふ)らを派遣し、劉備と力を合わせて曹操を追撃させ、赤壁で魏軍と遭遇した。このとき曹操の軍勢は、すでに疫病が発生しており、そのため曹操は一度、応戦しただけで軍を江北（揚子江の北）へ退却させた」

とある。

史実から推測すれば、曹操は勢いに乗って南下し、一気に雌雄を決しようとした。が、疫病が運営に流行り、魏軍の将兵は急速に体力を衰弱させた。

そこをダメ押しするかのように、周瑜の奇策（炎上した船を魏軍の船団に突撃させる）＝火攻めが敢行されて、魏軍が崩壊した、と見るのが的を射ているのではあるまいか。

戦争のうえでの退却であれば、あるいは曹操の立ち直りは早かったかもしれない。しかし、相手が悪い。風土病とあっては、さしもの曹操も打つ手を持たなかったのだろう。

それにしても、「稗史」「野史」はとにかく、元気である。奇跡的な大勝利、一発逆転の挿話にあふれている。

日本の戦国時代に目を向けても、ときおり考えられないような奇跡の場面が「稗史」や「野史」には登場した。それは多くの場合、その人物の際立った力量を表現するために演出されたものであった。

たとえば、戦国屈指の名将・上杉謙信――。

下剋上が流行し、下位の者が上位の者をくつがえし、取って代わる。私利私欲が横行する乱世にあって、謙信は一人、〝義〟の旗をかかげ、自らに助けを求める者のために戦い、領土欲を持たず、生涯を清々しく、凛然と生きた、と伝えられてきた。

「稗史」や「野史」はそれを証明するように――正義を貫くため、この名将がいかに常人を超えた能力を発揮したか、という挿話を強調しようとする。

上杉謙信の凄さを記述した古書を読む

——上杉謙信はおそらく、日本戦国史上、最も合戦に強かった武将かもしれない。

なにしろ謙信は、たった一人で、北条氏康・武田信玄・今川義元の「三国同盟」を敵にまわし、まったく遜色のない戦い、を貫いている。

「稗史」や「野史」はここぞとばかりに、懸命に謙信の凄さを物語った。

たとえば、『関八州古戦録』——以下、少し言葉を足しつつ、現代語訳風に、その名場面を見てみたい。


三国同盟の一・北条氏康は、本拠地の小田原城内に群臣を集め、軍議に余念がなかった。

またしても謙信（原文では、輝虎）が、関東へ越山して来て、金山（現・群馬県太田市）、桐生（現・桐生市）から宇都宮、那須のあたりまでおびやかしたからである。

あまりの謙信の強さに、今度は奥州の蘆名氏、常陸の佐竹氏、房州の里見氏なども荷担を申し出ているという。

これらが連合しては、北条方の那須、厩橋、沼田なども、とてももちこたえられそうにない。また、謙信を慕って太田資正、長野業正（業政とも）あるいは佐野氏、足利氏までもが上杉家につく模様だ。

「こうなったからには、佐野、足利の両家を攻め滅ぼし、上杉勢の野州表（現・群馬県）への進攻を塞ぐしかない」

ようやく北条家の軍議は、衆議一決をみた。

ただちに、国中に出陣の触れが出され、氏康の嗣子・北条氏政を総大将として、福島、遠山、大道寺、多米、笠原、垪和、清水、内藤、富永の諸将以下、三万五千余騎が差し向けられることとなった。

永禄二年（一五九五）正月下旬、まず下野国安蘇郡の栃木城（現・栃木市）へ、北条軍は押し寄せた。軍を二隊に分け、旗本の一隊を平井（現・群馬県藤岡市）からの、謙信の攻撃＝後詰に備え、一隊は城を囲んで昼夜を分かたず、攻めに攻めたてる。

一方、城主の佐野周防守昌綱は、名にし負う剛気の将であり、この大軍に一歩も退かず、関口吉久、小野兵部少輔、福地出羽守、河田左近尉、早川大和守、そのほか津布久、山城、小杉、赤見と名の知れた勇士に下知して、必死に防戦させた。

このことは、すぐ平井に伝わり、謙信はすぐさま城方の後詰として、八千余騎を率いて野州表へ出撃。栃木より上道五里（約二十キロ）、西の方を旗で埋め、謙信自身が物見になって高台に上り、敵陣をうかがった。

　小田原の北条軍は、家々の印の旗指物を春風になびかせ、五色の敷物を敷いたように、春の野面に咲きほこっていた。

　これでは飛鳥(とぶとり)も、北条の陣をかけ抜けることはできまい、いわんや人間がどうしてこれを打ち破って通ることができよう。さすがの謙信も手をこまぬいて、しばらくは敵ながらあっぱれなものよ、と感動の面持ちで見ていたが、やがて陣に帰って諸将に伝えた。

「たとえ一騎当千の人数をもって、敵の旗本を切り崩し、大将・北条氏政を討ち取ることができたとしても、それには時間がかかり、その間に栃木城は落城し、昌綱の生命(いのち)はあるまい。それでは後詰としての自分が、世上(せじょう)に笑われる。ここは運を天にまかせ、この敵の陣中を抜けて、城中に入ることにする」

　そう言うと、押し寄せて来た小田原勢には長尾政勝(ながおまさかつ)、同藤景(ふじかげ)、弟景治(かげはる)らを対陣させ、自らは二月十九日のあけぼのの、甲冑をつけず、黒の木綿の道服を着、白綾のはち巻、黒い馬に金ぷくりんの鞍を掛けて乗ると、十文字の槍を持って「毘」の字の旗を旗奉行の横井内蔵介(よこいくらのすけ)にもたせた。

　脇には若者十六人を選んで鹿の角を打った兜をかぶらせ、彼らには五尺（約一・五メートル）に余る手槍を持たせる。長巻は、あとからついて来る兵に担がせた。ついで武者十二人に白い布のはち巻、馬は金色の馬簾で飾り、二列になって前駆けをさせ、このほか親衛隊長、近習、横目の徒歩隊にも、いずれも揃いの白布のはち巻をさせた。

その数、主従併せてわずかに四十五名。

彼らは、静々と本陣を出た。そして十重二十重に取り巻く敵陣の真ん中を、わき目もふらず、一文字に押し通って行った。

四十五人はみな、前方を凝視したまま、瞬き一つもせず、毅然として進んでいく。

それはあたかも、毘沙門天、韋駄天の化身かと思われるほどの威厳に満ちたもので、敵はただ唖然として見つめるばかり、だれも攻めかかろうとはしない。

まさに、数万騎が山を抜いて通る勢いに見え、地黄八幡（北条家臣団「五備え」の一の「黄」・黒地に八幡の文字を入れた旗）で有名な、北条綱成（氏綱の娘婿・実父は今川家の重臣である福島正成）までがただ腕をさすり、歯がみして眺めているばかりであった。

「あれこそが、越後の虎よな……」

と、北条方は口々にささやき合うばかりである。

というのも、襲えば何か、奇想天外な兵法で報復されるのではないか、と思われてならないからである。それこそが、謙信の謀略であった。

そのまま堂々と城門まで来たとき、城門が開き、城主の佐野昌綱が四、五十騎で走り出ると、謙信の馬の口にすがって、感動のあまり涙にむせぶ。

四十五人は無事、城内へ入った。

この快挙に、小田原勢は気をのまれたまま、しだいに戦う気力が衰え、もはや城を攻めんとする者は、百騎のうち十騎もいなくなった。

大将の氏政も、綱成も、このまま空しく陣を敷いていてはもの笑いの種になる、と判断。総軍を引き揚げて、古河の城まで後退をはじめた。

このとき、佐野勢も後詰の越後勢も、にわかにこれを挟撃。追い撃ちに移り、またたくまに敵の首千三百余級を得るにいたった。

『常山紀談』が描きたかったもの

同じような、というより〝元〟は同一と見るべき話は、『常山紀談（じょうざんきだん）』（巻之四・江戸時代中期に成立した、湯浅常山による逸話集）にも載っていた。

以下、多少肉付きをよくして述べてみる。

こちらは天正二年（一五七四）の話――関東平定を進める上杉謙信が、本拠地の越後春日山城に、佐野の城将・佐野政綱（まさつな）からの、救援をもとめる使者を迎える。

政綱は前述の昌綱の子（養子）で、佐野氏十六代と伝えられる人物。

宿敵・北条氏康の嫡男である氏政が、あろうことか三万という大軍をひきいて、佐野城を取り囲んだというのだ。

このままでは多勢に無勢、佐野城は落城してしまう。

「なにとぞ、お助けくださりませ――」

使者の口上を聞いた謙信は、すぐさま八千の兵をひきいて出撃し、城の西方五里の地点までくると、全軍を停止させた。味方は八千、敵は三万である。

お屋形さまはどう戦われるおつもりか、と上杉家の諸将は固唾をのんで下知を待った。

すると謙信は、まず自らが物見に出て、敵の攻囲のようすをつぶさに見てまわり、翌朝とんでもない軍令を発した。

「われ、少数の将兵をもって、城に入城せん」

――問題は、率いる人数であった。

三万五千の敵が待ちかまえる中へ、いったい何千、何百騎の将兵をひきいて飛び込もうというのか。諸将は、八千をどう分けるおつもりか、と考えた。

ところが、謙信は違った。

自らが入城するといい、従うことを命じた総勢は、わずかに十三騎でしかなかった。

十三騎では、陣形――魚鱗も鶴翼もあったものではない。

人数が少なすぎて、そもそも陣形と呼べるものを、組むこともできない。

敵兵三万は、佐野城を十重二十重に包囲している。

十三騎ではしょせん「蟷螂（カマキリ）の斧」——勝ち目はなかった。

しかもこのとき、謙信は『関八州古戦録』同様、甲冑もつけていない。

黒木綿の道服を着て、手にはたった一本、十文字の槍をささげもっただけである。

「では、いこうか」

謙信はまるで、物見遊山にでも出かけるような気軽さで、十三人に出撃を告げた。

すでに佐野城は、脱出不可能な形に囲まれており、謙信の進む前途にも、おりかさなるように、多数の北条の将兵が持ち場を守っていた。

そこへ、十三騎がやって来る。

敵はいっせいにおそいかかってくるか、と思えば、そうはならなかった。

どの北条兵も、謙信の凄まじい〝気〟に呑まれて、まるで金縛りにあったように動けず、皆目、手出しをすることができない。

烈風が吹いて、それをよけるように、次々と道を開けていった。

後詰の形となっていた上杉の本軍は、それをただ茫然と見守りつづける。

「夜叉羅刹とはこれなるべし」

『常山紀談』の作者は、どうやら謙信を軍神級で描きたかったようだ。

皇国史観と一揆

――「稗史」と「野史」に、いささか構い付け（かかり合い）がすぎた。

要するに、これらは史料的価値がいちじるしく低い、と見做されており、歴史学の論文に引用しても、そもそも採点の対象にはならなかった。

論外のもの、と見下されてきたわけだが、筆者はむしろ、こうした「稗史」「野史」の中にも存外、歴史の真実を伝えているものがあるのではないか、と考えてきた。

だからこそ、第一作に『真説　上野彰義隊』（NGS・のち中公文庫）を上梓したおり、伝承を拾い集めた。天草四郎の島原・天草の乱をくり返し調べ、評伝として書くことができない、と判断し、小説の形で『天の子　天草四郎』（叢文社）、のちに『寛永の楔』（講談社）で述べたのも、同じ道理であった。

くり返すようだが、日本人の多くは歴史を物語、小説でしか学んでこなかった。

これは一種、民族性ゆえでもあったろう。

換言すれば、歴史上に名をとどめた人物を中心に、日本人は歴史を認識してきたといえる。以前からの〝歴女ブーム〟も、女子の刀剣ブームも、この傍流の一つであるに違いない。

ただ、英雄・豪傑の物語ばかりを読んでいると、心の中の歴史学のバランスが、狂ってしまう懸念があった。

かつて、戦前の日本に広まった、〝皇国史観〟（天皇家を歴史の中心に据えた価値判断）が好例であろう。神話の世界が、物語の衣装を着て、長い期間、日本人の心を支配した。

この皇国史観を、日本特有のものと思い込んでいる人がいまだに多いが、これはけっして日本のオリジナルではなかった。

同様の史観は、共産主義国家にも社会主義国家にも存在した。中華人民共和国には毛沢東、周恩来がいるし、かつてのソビエト社会主義共和国連邦にはウラジーミル・レーニンやヨシフ・スターリンがいた。ナチスドイツにはアドルフ・ヒットラーがいたし、イタリア王国にはベニート・ムッソリーニが国民の、熱狂的な支持を得ていたではないか。

今も朝鮮民主主義人民共和国では、建国の人・金日成につづいて、その後継者である金正日、さらには金正恩を神のごとくに崇め奉っている。

では、こうした英雄史観ともいうべき歴史の捉え方の、何が、心のバランスを失わせるのだろうか。

歴史の創り手のもう一方である、〝声なき声〟——名もなき無数の人々——を、物語、歴史小説でも拾いきれていないところに、原因があった。

英雄・豪傑のエピソードに、比重がかかりすぎてきたからだ。

無論、大衆こそが歴史の主原動力だった、などと、いまさら大見得を切るつもりはない。

けれども、やじろべえの一方には、置いてみるべきであろう。

もう他方に、英雄・豪傑を置いてもいい。

歴史上の人物が、その能力・手腕を発揮するには、その前提条件＝社会の進展が不可欠であった。

たとえば日本の幕末、老中の水野忠邦が躍起となった天保の改革——この中途半端でしぼんでしまった国家改造は、腐敗と堕落、志を失った無気力の人々が、刹那的に生きる時代を背景として、おこなわれ、そして失敗した。

案の定というべきか、幕閣は挫折した。が、一方で長期的な視野に立って臨めば、この時代に生まれた人々が、ついには未曾有の明治維新を成し遂げる役割を担ったのである。

文政十三年＝天保元年（一八三〇）生まれには、
吉田松陰（長州藩士・松下村塾の創設者）

大久保利通（薩摩藩士・初代内務卿）

清河八郎（出羽庄内藩郷士・浪士組を率いる）

天保四年生まれには、
桂小五郎（のち木戸孝允・長州藩士・薩長同盟を締結）
天保五年生まれには、
橋本左内（越前福井藩士・安政の大獄で処刑）
川路利良（薩摩藩士・のちに警視庁を創設）
近藤勇（武蔵国出身・新撰組局長）
岩崎弥太郎（地下浪人から土佐藩士・のちに三菱財閥を創設）
福沢諭吉（中津藩士・慶應義塾を開く）
天保六年生まれには、
前島密（幕臣・のちに日本の近代郵便制度を創設）
松方正義（薩摩藩士・第四、六代内閣総理大臣）
土方歳三（武蔵国出身・新撰組副長）
坂本龍馬（土佐藩郷士・亀山社中、土佐海援隊を率いる）
井上馨（長州藩士・第五代外務卿・初代外務大臣）
松平容保（会津藩主）
天保七年生まれには、

山岡鉄舟（幕臣・幕末の三舟の一人）
榎本武揚（幕臣・初代逓信大臣）

天保八年生まれには、

板垣退助（土佐藩士・自由民権運動の指導者）
徳川慶喜（御三卿の一橋家当主・江戸幕府十五代将軍）

天保九年生まれには、

大隈重信（肥前佐賀藩士・第八、十七代内閣総理大臣）
後藤象二郎（土佐藩士・第二代逓信大臣）
中岡慎太郎（土佐藩郷士・土佐陸援隊を率いる）
山縣有朋（長州藩足軽・第三、九代内閣総理大臣）

天保十一年生まれには、

黒田清隆（薩摩藩士・第二代内閣総理大臣）

天保十二年生まれには、

伊藤博文（長州藩士・初代、五、七、十代内閣総理大臣）

彼らは自らも、腐敗と堕落が世を覆う、無気力な、どうしようもない閉塞した時代に生まれ、育ちながら、その逆境の中から国を変えるという大仕事を担った。

——時代が英雄を生む、といわれる所以はこのあたりにありそうである。

だが、それだけでは歴史学としては不十分であった。

なぜならば、他方で庶民が時代を動かしているのも、史実であった、と認識するべきであるからだ。

ただ、現実問題として、民衆の歴史を専門に研究しようとする学者は、大学などの研究者は別にして、在野にきわめて少ないのも事実であった。

古代—中世—近世—近代—現代と変わることなくくり返された、農民による訴訟や一揆、民衆が権力者の苛斂誅求に耐えかねて、自滅するよりは……、と立ち上がった生命懸けの活動は、歴史上有名な英雄・豪傑を取り上げるほどには、注目されてこなかったのも事実であろう。

なぜで、あろうか。年貢を軽減してもらうべく嘆願する、「詫言」（愁訴）。これが領主に通じればいいが、権力者は自らの都合でものごとを考えがちだ。通じなければ農民は次に「逃散」をやり、他国の領国へ走った。生まれ育った土地を、捨てるのである。

ところが、それでも連れ戻され、あるいは「逃散」のできない現実に押しとどめられたとすれば、いよいよ「一揆」を断行することになる。

主謀者は例外なく、極刑となった。それでも農民たちは蓆旗（むしろばた）を掲げて、武力をもつ領主たちに真っ向から、立ち向かっていったのである。

あるいは、そうした決死の「一揆」も鎮圧され、主謀者は刑場に送られ、民衆は敗北するといった事態に、立ち至った例も少なくなかった。

しかし歴史学は、成果を上げることのできなかった民衆の敗北すらも、歴史を切り開いたエネルギーの一つだと考えてきた。

昨日から今日、今日から明日へと向かう歴史の流れにとって、無数に近い選択肢の中から、一つの方向を選ぶことによって〝現実〟は生まれ、歴史は確定する。

その選択の一因に、民衆の敗北の影響も十二分に含まれている、と考えるわけだ。

加えて、この令和の時代を、黙々と生きる人々の人生も、同断である、と。

歴史学は雄弁に語っている。

[著者略歴]

加来耕三（かく・こうぞう）

1958年、大阪府生まれ。奈良大学文学部史学科を卒業後、学究生活を経て、歴史家・作家として幅広く執筆活動を続ける。独自の史観に基づく旺盛な著作は、広範な読者を獲得し、大学、企業、地方自治体などの講師を数多く務める傍ら、BS-TBS「関口宏の一番新しい中世史」などの人気番組に出演中。2023年、作家生活40周年を迎えた。『歴史の失敗学　25人の英雄に学ぶ教訓』、『渋沢栄一と明治の起業家たちに学ぶ　危機突破力』（いずれも、日経BP)、『坂本龍馬の正体』（講談社+α文庫)、『成功と滅亡　乱世の人物日本史』（さくら舎)、『刀の日本史』（講談社現代新書)、『歴史に学ぶ自己再生の理論（新装版)』（論創社）など話題の著作は数多く、近刊に『徳川家康の勉強法』（プレジデント社）がある。

教養としての歴史学入門

2023年4月12日　第1刷発行

著　者　　加来 耕三
発行者　　唐津 隆
発行所　　株式会社ビジネス社
〒162-0805　東京都新宿区矢来町114番地 神楽坂高橋ビル5階
電話　03(5227)1602　FAX　03(5227)1603
https://www.business-sha.co.jp

〈装幀〉大谷昌稔
〈本文組版〉茂呂田剛(エムアンドケイ)
〈印刷・製本〉大日本印刷株式会社
〈営業担当〉山口健志
〈編集担当〉本田朋子

ISBN978-4-8284-2513-9